Le Français
en progrès

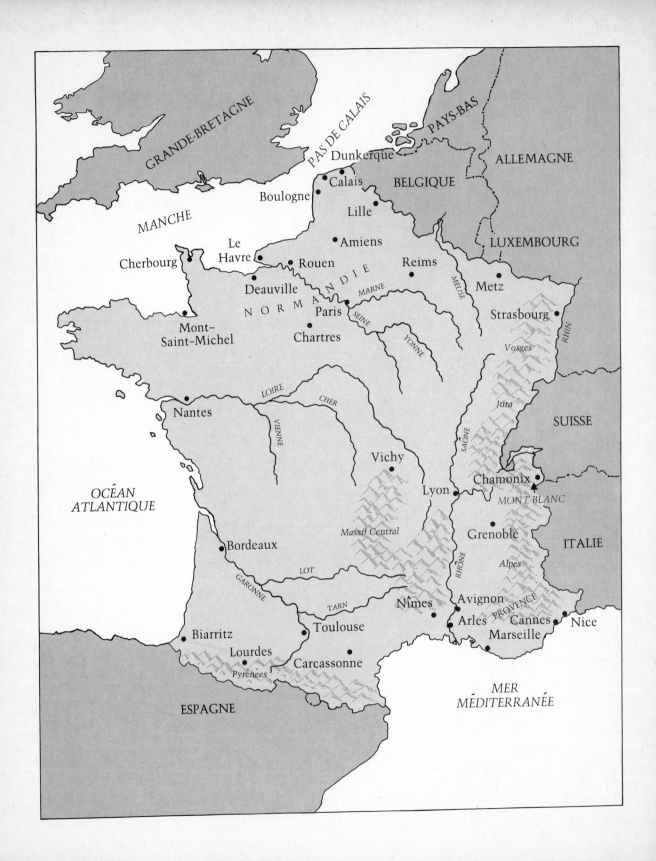

GRANDE-BRETAGNE

PAS DE CALAIS

PAYS-BAS

ALLEMAGNE

Dunkerque

Calais

BELGIQUE

Boulogne

Lille

MANCHE

Amiens

LUXEMBOURG

Le Havre

Cherbourg

Rouen

Reims

Metz

Deauville

N O R M A N D I E

MARNE

Strasbourg

Vosges

MEUSE

RHIN

Paris

SEINE

Mont-
Saint-Michel

Chartres

YONNE

Jura

LOIRE

CHER

SUISSE

Nantes

VIENNE

SAÔNE

Vichy

OCÉAN
ATLANTIQUE

Lyon

Chamonix

MONT BLANC

Massif Central

Grenoble

ITALIE

Bordeaux

Alpes

LOT

RHÔNE

GARONNE

TARN

Nîmes

Avignon

PROVENCE

Biarritz

Toulouse

Arles

Cannes

Nice

Marseille

Lourdes

Carcassonne

Pyrénées

MER
MÉDITERRANÉE

ESPAGNE

Le Français en progrès

Eli Blume

Dedicated to serving

AMSCO

our nation's youth

When ordering this book, please specify
either **R 519 S** or LE FRANÇAIS EN PROGRÈS, SOFTBOUND EDITION

AMSCO SCHOOL PUBLICATIONS, INC.
315 Hudson Street/New York, N.Y. 10013

Books by Eli Blume

LE FRANÇAIS PAS À PAS
LE FRANÇAIS EN PROGRÈS
FRENCH FIRST YEAR
FRENCH TWO YEARS
FRENCH THREE YEARS
COURS SUPÉRIEUR DE FRANÇAIS
DOUZE CONTES DE MAUPASSANT

The song "Savez-vous planter les choux?" is reproduced from
Ruth Muzzy Conniston's *Chantons un peu* (Doubleday, 1929).
The song "Ma Normandie" is reproduced from Marcel
Vigneras' *Chansons de France* (Heath, 1941) by permission of
D. C. Heath and Company, Lexington, MA.

Illustrations by Susan Detrich and Julie Evans

ISBN 0-87720-494-2

Preface

Continuing the program begun in *Le Français pas à pas*, LE FRANÇAIS EN PROGRÈS provides all the elements for a full second course. The book also prepares students for their first formal proficiency test. The personal and informal approach gives students confidence in their ability to master the communicative skills.

LE FRANÇAIS EN PROGRÈS stimulates students to become active learners as they work with the materials in the book. All elements are explained clearly, drawing on the students' knowledge of English to make sure they are understood. Through cognates and similar structures, students are encouraged to infer meanings from contexts and to think in French.

LE FRANÇAIS EN PROGRÈS consists of a preparatory lesson, twenty-five lessons, and five "Révisions." The preparatory lesson offers students the opportunity to recall, through a variety of exercises, the essential elements of French learned in a first course. Each of the twenty-five lessons features the following step-by-step sequence of learning components:

Vocabulary
New vocabulary in each lesson is introduced in small groups—boxed and screened for visual clarity—and used in the model sentences and in the exercises. A number of lexical items are accompanied by drawings to convey meanings without the use of English.

Structure
Each lesson is divided into short units. Each structural point is explained briefly, illustrated in model sentences, and practiced immediately in a full range of exercises.

Communication
Each lesson includes practice in conversational exchange through exercises designed to develop natural communication.

Reading and Culture
Passages for comprehension in each "Révision" provide opportunities for practice

and testing of reading skills. These passages also describe aspects of French life and culture.

Review
To tie all elements together, most lessons include a "Résumé" that reviews vocabulary and structure and provides comprehensive end-of-lesson exercises testing mastery of the entire lesson. Each "Révision" (one after every five lessons), in addition to more conventional types of exercises, provides games and puzzles that challenge the students' skills and provide opportunity for "fun." The inclusion of French folk songs lends variety and additional stimulating activity.

Testing
Following the lessons and "Révisions," Mastery Exercises provide overall review and an effective means of evaluating achievement. The final Proficiency Test evaluates student performance in all basic skills—speaking, listening comprehension, reading comprehension, and writing.

Teacher's Manual and Key
A separate *Teacher's Manual and Key*, available from the publisher, provides suggestions to teachers for presenting elements in LE FRANÇAIS EN PROGRÈS, all teacher dictation material for listening comprehension, and a complete key to all exercises.

E. B.

Contents

Le Français
en progrès

PREPARATORY LESSON

This preparatory lesson offers you the opportunity to recall, through a variety of exercises, the essential elements of French that you have studied up to this point. In addition, it gives you the chance to test your mastery of these elements and to discover whether or not there is any topic that needs a more thorough review. Now let's begin.

 EXERCICE A

Complete each sentence with the correct form of the present tense or the imperative of the verb in parentheses:

1. (aimer) Je n'_____ pas l'injustice. Il y a des poissons qui

    _____ l'eau douce. Tu n'_____ pas parler en public?

2. (étudier) _____ votre histoire! Nous _____ la géo-

    graphie du monde. Qu'est-ce que Lucie _____?

3. (répondre) Nos voisins ne _____ pas au téléphone.

    _____ toujours à ses lettres. _____-moi, s'il te plaît.

4. (défendre) Un bon avocat _____ l'accusé. Qu'est-ce que vous

    _____? Nous _____ la liberté d'expression.

5. (finir) _____ nos devoirs! Quand le film _____-il?

    Les architectes _____ leur travail.

6. (choisir) Quelle couleur _____-vous? Je _____ le

jaune. _____-tu le gâteau au chocolat?

7. (être) Les États-Unis _____ en Amérique. _____-
vous forts ou faibles en mathématiques? Nous _____ forts en
algèbre.

8. (avoir) Il y _____ des voitures derrière nous. M. et Mme Lebrun

_____ deux enfants. Combien de sœurs _____-vous?

9. (aller) _____-vous dîner à la maison demain? Non, nous

n'_____ pas dîner ici. Ils _____ dîner en ville.

10. (faire) Michelle _____ une promenade dans le parc? Non, Jean et

Michelle _____ une promenade sur le boulevard. Que _____
-vous maintenant?

◼ EXERCICE B

Study the picture. Then complete the French sentence:

1.   Anne-Marie a les _____ bleus.

2. Il y a beaucoup de livres dans la _____.

3. Les _____ tombent en automne.

4. Ne perdez pas la _____ du garage.

5. Mme Lambert aime bien ses _____.

6. Plusieurs _____ traversent la Seine.

7. Quelle heure est-il à votre _____?

8. Je vais descendre. Où est l'_____?

9. C'est un repas délicieux, surtout le _____.

10. Les _____ transportent des passagers.

EXERCICE C

Recite: 1. all French numbers divisible by 5 from 35 to 75.
2. all numbers ending in 1 from 21 to 71.
3. the even numbers from 62 to 78.

EXERCICE D

Say aloud, then write in French, each of the following arithmetic problems:

EXEMPLES: $2 + 3 = 5$ deux et trois font cinq
           $8 - 1 = 7$ huit moins un font sept
           $9 \times 6 = 54$ neuf fois six font cinquante-quatre

1. $9 + 13 = 22$ _____

2. $32 + 11 = 43$ _____

3. $57 - 20 = 37$ _____

4. $79 - 15 = 64$ _____

5. $3 \times 6 = 18$ _____

6. $14 \times 2 = 28$ _____

7. $17 + 50 = 67$ _____

8. $12 \times 3 = 36$ _____

9. $10 + 16 = 26$ _____

10. $30 - 19 = 11$ _____

■ EXERCICE E

Good friends! Fill in each blank with the French word described or missing. Then read down the boxed column of letters and you will find when good friends meet:

1. Je vais porter les lettres à la ____.   — — | — — —

2. Juillet, ____, septembre.   — — | — —

3. Sa ____ favorite est le vert.   — — | — — — —

4. Contraire de **après**.   — — | — — —

5. Une personne ____ a beaucoup d'argent.   — — — — | — —

6. Jour qui précède mardi.   — — | — —

7. Heureux.   — — — | — —

■ EXERCICE F

Telling Time. Quelle heure est-il? (Begin all answers with **Il est.**)

1. _____

2. _____

3. _____

4. _____

5. _____

6. _____

7. _____

8. _____

9. _____

10. _____

EXERCICE G

In the space provided, write the word or expression that best completes the sentence:

1. À chaque repas, je mange _____.
   a. une pendule   b. du pain   c. de la craie

2. Les yeux sont près _____.
   a. des bras   b. de la nuit   c. du nez

3. Ils ont un _____ appartement.
   a. vieil   b. vieux   c. vieille

4. Nous cherchons le nom du village sur _____ de France.
   a. une carte   b. un escalier   c. une chaise

5. La neige tombe du _____.
   a. jardin   b. tapis   c. ciel

6. Je regarde les _____ sur les branches de l'arbre.
   a. boîtes   b. pommes   c. vins

7. Il y a beaucoup d'eau dans _____.
   a. les billets   b. la mer   c. le stylo

8. André aime jouer _____.
   a. des cartes   b. du métro   c. du piano

9. Le pont traverse _____.
   a. un fleuve   b. un cadeau   c. un ascenseur

10. Il n'y a rien dans la maison. Elle est _____.
    a. pleine   b. légère   c. vide

EXERCICE H

For each picture, there is a question in French. Answer the question in a complete French sentence:

1. Quel temps fait il?

_____

2. Où est la femme?

_____

3. Qu'est-ce qu'il ouvre?

_____

4. Quelle est la saison?

_____

5. Qui est cet homme qui nous apporte des lettres?

_____

6. Qu'est-ce que Mme Girard remplit?

_____

7. Qui traverse la rue?

_____

8. Qu'est-ce que la famille regarde?

_____

9. Voici Philippe. Qu'est-ce qu'il a à la main?

_____

10. Qu'est-ce que l'homme lave?

_____

11. Où sont les livres?

_____

12. Que regardent toutes ces personnes?

_____

Complétez les phrases:

1. Les chiens sont _____ animaux.

2. Nous avons _____ café, mais nous n'avons pas _____ crème.

3. Avez-vous _____ questions, messieurs?

4. Il n'y a pas _____ eau dans le lac.

5. La peinture, la sculpture et la musique sont _____ arts.

6. Il pleut souvent _____ printemps.

7. Les élèves étudient _____ français.

8. L'hiver commence au mois de _____.

9. L'autobus arrive à trois heures _____ l'après-midi.

10. Il est maintenant onze heures et demie. Nous allons partir à minuit. Nous avons encore _____ minutes.

11. La date qui précède dimanche, le deux mars, est _____.

12. Passez-moi le fromage, s'il vous _____.

13. Le Portugal est le nom d'un _____ européen.

14. Le quatre _____ est la date de la fête nationale des États-Unis.

15. Le drapeau français est bleu, _____ et rouge.

EXERCICE J

Rewrite the first sentence of each series, substituting the word or words indicated below. Make all other necessary changes:

1. Mon fils est fatigué.

   _____ fille _____.
2. Quelle belle femme!

   _____ hommes!
3. Le cheval est un animal.

   Les _____.
4. Le parfum est parisien.

   _____ robes _____.
5. Les bons acteurs sont heureux.

   _____ actrices _____.
6. Je regarde le nouvel arbre.

   Nous _____ les _____.
7. Louis a plusieurs cousins.

   Louis et Louise _____ beaucoup _____.
8. Est-ce que toutes les étudiantes sont actives?

   _____ étudiants _____?
9. Le tapis blanc n'est pas très cher.

   La table _____.
10. Je fais une grosse faute.

    Nous _____ fautes.

■ EXERCICE K

Scrambled sentences. Rearrange the words in their proper order to form meaningful sentences:

EXEMPLE: Les / salle / la / remplissent / hommes
Les hommes remplissent la salle.

1. Il / du / est / heures / soir / sept

_____

2. Je / une / campagne / passe / à / semaine / la

_____

3. Pierre / son / toujours / cahier / cherche

_____

4. Mon / commencer / son / demain / cousin / travail / va

_____

5. Ils / longues / de / traversent / avenues

_____

6. Le / sœur / neveu / de / mon / est / ma / fils

_____

7. Toute / le / dans / magasin / entre / famille / la

_____

8. Il / un / y / mai / et / en / jours / trente / a

_____

9. Nous / journaux / ce / pas / de / matin / n'avons

_____

10. Les / sont / l'année / divisions / quatre / de / saisons / les

_____

EXERCICE L

Vrai ou faux?

1. La rose et la violette sont des fleurs. _____

2. On parle avec les cheveux. _____

3. Quand il fait du soleil, le ciel est gris. _____

4. Une personne paresseuse n'aime pas travailler. _____

5. L'orange et la banane sont des légumes. _____

6. Chaque pays a son drapeau. _____

7. Quand il neige, les routes de montagne sont souvent dangereuses. _____

8. Un œil est généralement noir. _____

9. Tout le monde aime le football. _____

10. Il y a des mots dans une phrase. _____

11. Nous allons à l'école tous les jours. _____

12. Un boucher vend de la viande. _____

EXERCICE M

Answer in complete French sentences:

1. Comment vous appelez-vous?

2. Quel âge avez-vous?

   _____

3. Quelle langue(s) parlez-vous?

   _____

4. À quelle heure du soir finissez-vous généralement vos devoirs?

   _____

5. Quel jour de la semaine est-ce aujourd'hui?

   _____

6. Quel temps fait-il maintenant?

   _____

7. Entends-tu les voitures dans la rue?

   _____

8. Qui attend un télégramme?

   Les Simon _____

9. Quelles sont les quatre saisons de l'année?

   _____

10. Combien de lettres y a-t-il dans l'alphabet?

    _____

11. De quelle couleur est le lait?

    _____

12. Qu'est-ce que Mlle Brunot désire acheter dans le supermarché?

    _____

EXERCICE N

Scrambled word game. What did our neighbor think needed trimming? Unscramble each word, writing one letter in each square to form five French words:

1. EREHU

2. TIPET

3. CRIME

4. BROSE

5. TRACE

Copy the circled letters of the words to find the answer to the question above:

You have now completed the series of exercises intended to refresh your memory and act as a review. Are you satisfied with the results? If your answers show you have mastered this material, you are ready to continue developing and improving your skills in communicating in French.

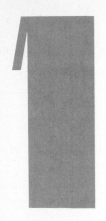

Demonstrative Adjectives

1.1

In English, if we wish to point out a person or thing near us, we use the adjective *this*: "This ring is beautiful." If the person or thing is not near, we use *that*: "That artist is a genius." Since these adjectives POINT OUT, they are called DEMONSTRATIVE adjectives.

Let's learn how *this* and *that*, and their plurals, *these* and *those*, are expressed in French. Study the following model sentences:

Regardez *ce* journal.	Regardez *ces* journaux.
Regardez *cet* oiseau.	Regardez *ces* oiseaux.
Regardez *cet* homme.	Regardez *ces* hommes.
Regardez *cette* femme.	Regardez *ces* femmes.

NOTES:

1. In French, there is usually no distinction made between the adjectives *this* and *that*. Each of the three singular forms — **ce, cet, cette** — has both meanings: **ce journal** *this newspaper, that newspaper.*

2. **Ce** is used before a masculine singular noun beginning with a consonant: ***ce* journal.**

3. **Cet** is used before a masculine singular noun beginning with a vowel or silent **h**: ***cet* oiseau, *cet* homme.** (What three other adjective forms are used only before a masculine singular noun beginning with a vowel sound?*)

* **bel, nouvel, vieil**

18

4. **Cette** is used before a feminine singular noun: *cette* **femme.**

5. **Ces** is used before all plural nouns: *ces* **oiseaux** *these birds, those birds.*

6. The demonstrative adjective is repeated in French before each noun:

ce médecin et **cet** avocat   *that doctor and lawyer*
ces fleurs et **ces** arbres   *these flowers and trees*

■ **EXERCICE A**

Supply the demonstrative adjective for each noun. Then give two English meanings for the completed phrase:

EXEMPLE: _____ leçon
          cette leçon   *this lesson, that lesson*

1. _____ adresse   _____

2. _____ thé   _____

3. _____ chats   _____

4. _____ exercice   _____

5. _____ théâtres   _____

6. _____ histoire   _____

7. _____ parapluie   _____

8. _____ sœurs   _____

9. _____ arbre   _____

10. _____ couleur   _____

Dans chaque phrase, remplacez l'article défini par l'adjectif démonstratif:

EXEMPLE: **La** phrase est courte. **Cette** phrase est courte.

1. Descendons l'escalier. _____

2. La jeune fille ne danse pas. _____

3. Je vais remplir les tasses. _____

4. Le chien est intelligent? _____

5. Donnez-moi la clef, s'il vous plaît. _____

6. N'aimes-tu pas l'appartement? _____

7. L'avenue est large. _____

8. Pourquoi compte-t-il les billets? _____

9. Nous entendons souvent le bruit. _____

10. Comment trouvez-vous l'examen? _____

1.2 Contrast and Emphasis

You have seen that in French there is usually no distinction made between the idea of *this* and *that* and *these* and *those*, since the meaning is clear from the sentence. But suppose you want to emphasize *this* or *that* to show a contrast between two or more persons or things; for example, "Which do you prefer, this boat or that boat?" And how do you distinguish *these* from *those* in French if you want to say, "These coins are worth more than those coins"?

Here are some sentences illustrating contrast and emphasis:

J'aime ce parfum-*ci*, mais je n'aime pas ce parfum-*là*.   *I like this perfume, but I don't like that perfume.*

Fermons ces fenêtres-*là* et ouvrons ces fenêtres-*ci*.	*Let's close those windows and open these windows.*
Cet étudiant-*ci* travaille plus dur que cet étudiant-*là*.	*This student works harder than that student.*
Quelle robe allez-vous acheter? — Je vais acheter cette robe-*là*.	*Which dress are you going to buy? — I'm going to buy that dress.*

NOTES:

1. To distinguish between *this* (*these*) and *that* (*those*) or to emphasize either idea, **-ci** and **-là** are added with a hyphen to the nouns contrasted or stressed.

2. When **-ci** is added, the adjective means *this* or *these*:

      cette chose-ci *THIS* thing   **ces choses-ci** *THESE* things

3. When **-là** is added, the meaning is *that* or *those*:

      cette chose-là *THAT* thing   **ces choses-là** *THOSE* things

---

VOCABULAIRE

acheter	*to buy*	**la chemise**	*shirt*
emprunter	*to borrow*	**la cravate**	*tie*
la chose	*thing*	**la chaussure**	*shoe*
le parfum	*perfume*	**le mouchoir**	*handkerchief*
la poche	*pocket*	**quelqu'un**	*someone*

 EXERCICE C

Answer the questions in the negative, using the opposite form of the demonstrative adjective:

EXEMPLE: Coupez-vous **ce melon-ci?** Non, je coupe **ce melon-là.**

1. La craie est dans ce tiroir-ci?

---

2. Va-t-elle acheter ces chaussures-là?

_____

3. Désires-tu emprunter cette cravate-là?

_____

4. Est-ce que cet enfant-ci est votre frère?

_____

5. Choisissez-vous ce parfum-là?

_____

EXERCICE D

_____

Donnez les équivalents en français:

1. this pocket and that pocket   _____

2. those shirts or these shirts   _____

3. that handkerchief or this handkerchief _____

4. these things and those things   _____

5. this elevator or that elevator   _____

6. these perfumes or those perfumes   _____

7. that newspaper or this newspaper   _____

8. this flower or that flower   _____

1.3 Résumé

ce	before a masculine singular noun beginning with a consonant	ce mouchoir	*this (that) handkerchief*
cet	before a masculine singular noun beginning with a vowel or silent **h**	cet ami cet homme	*this (that) friend* *this (that) man*
cette	before a feminine singular noun	cette chose	*this (that) thing*
ces	before all plural nouns	ces chaussures	*these (those) shoes*

To distinguish or emphasize the meaning, **-ci** and **-là** are added to the nouns:

cette chemise-*ci*	*this shirt*	cette chemise-*là*	*that shirt*
ces chemises-*ci*	*these shirts*	ces chemises-*là*	*those shirts*

■ EXERCICE E

Complétez les phrases en français:

1. (in that room)   Est-ce que quelqu'un attend _____?

2. (That boy and girl) _____ sont les enfants de Mme Girard.

3. (this evening)   Où allez-vous _____?

4. (these pupils)   Qui va aider _____?

5. (That bell) _____ sonne à midi, n'est-ce pas?

6. (That wine . . . this wine) _____ est français, mais

   _____ est italien.

7. (behind that staircase)   Qu'est-ce qu'il y a _____?

8. (This bird . . . that bird) _____ ne chante pas, mais

_____ chante très bien.

9. (This shirt and tie) _____ sont nouvelles.

10. (These leaves . . . those leaves) _____ sont vertes,

mais _____ sont jaunes.

■ **EXERCICE F**

Tell someone in French

1. the weather is warm this afternoon.

_____

2. you are going to buy those handkerchiefs.

_____

3. to give you that meat and fish, please.

_____

4. there is money in the pocket of that shirt.

_____

5. not to look at those things.

_____

6. this exercise is easy, but that exercise is hard.

_____

7. that man is her uncle.

_____

8. to open that door and close this door.

_____

▪ EXERCICE G

Ask a close friend in French

1. where she hears that music.

_____

2. why George is carrying that flag.

_____

3. how she is going to answer these questions.

_____

4. if someone wants to borrow this pen and pencil.

_____

5. which bread she is cutting, this bread or that bread.

_____

6. who is going to Paris this summer.

_____

7. what she is studying tonight (this evening).

_____

8. if she likes these flowers or those flowers.

_____

 **Expressions of Quantity**

2.1

You use expressions of quantity or measure in many everyday situations. When you go to the store, you buy *a box of eggs*, or *a pound of meat*, or *a bag of potatoes*. What child can refuse *a piece of cake* with *a glass of milk*?

French generally follows the same pattern as English in expressions of quantity:

une livre de **viande**	*a pound of meat*
deux morceaux de **pain**	*two pieces of bread*
plusieurs tasses de **café**	*several cups of coffee*
une douzaine de **mouchoirs**	*a dozen handkerchiefs*

NOTES:

1. After words expressing quantity, **de (d')** is used before the noun that follows.

2. **La livre,** meaning *pound*, is feminine. What does **le livre** mean?

3. The *metric* system is used in France. Three common metric measures are:

   le mètre = 39.37 inches
   le litre = a little more than a quart
   le kilogramme (generally shortened to **kilo**) = approximately 2.2 lbs.

You already know some French words of quantity: **la boîte, la bouteille, la tasse, le verre.** Here are some additional ones:

la douzaine	*dozen*	**la livre**	*pound*
le kilo(gramme)	*kilogram*	**le mètre**	*meter*
le litre	*liter*	**le morceau**	*piece*
le sac	*bag*		

 EXERCICE A

Complete the expressions, using once *each word in the given list:*

craie	fromage	lait
viande	eau	gâteau
fleurs	pommes	thé
vin		

1. une douzaine _____

2. une tasse _____

3. une bouteille _____

4. un litre _____

5. une boîte _____

6. un sac _____

7. une livre _____

8. un kilo _____

9. un morceau _____

10. un verre _____

VOCABULAIRE

le beurre	*butter*	**la tomate**	*tomato*
l'œuf (m)	*egg*	**la bière**	*beer*
le sel	*salt*	**la laine**	*wool*
le sucre	*sugar*	**la soie**	*silk*
le chocolat	*chocolate*	**l'essence** (f)	*gasoline*

EXERCICE B

Donnez les équivalents français:

1. a dozen eggs _____

2. several cups of tea _____

3. a pound of butter _____

4. ten liters of gasoline _____

5. two meters of silk _____

6. a kilogram of cheese _____

7. five meters of wool _____

8. a few pieces of chocolate _____

9. three pounds of tomatoes _____

10. a bag of sugar _____

11. a box of salt _____

12. two bottles of beer _____

2.2 Adverbs of Quantity

You have learned previously two other expressions of quantity: **beaucoup (de)** (*much, many*) and **combien (de)** (*how much, how many*). Here are additional words of quantity that follow the same pattern:

assez	*enough*	**peu**	*little, few*
autant	*as much, as many*	**un peu**	*a little*
plus	*more*	**tant**	*as much, so many*
moins	*less, fewer*	**trop**	*too much, too many*

Achetez-vous *assez d'œufs*?	*Are you buying enough eggs?*
Ils mangent *moins de* viande.	*They eat less meat.*
Nous avons *peu de* temps.	*We have little time.*
Elle désire emprunter *un peu de* sel.	*She wants to borrow a little salt.*

NOTES:

1. The words listed above (adverbs of quantity) are followed by **de (d')** before a noun. The article is omitted.

2. The adjective **quelque** (*some*), when used in the plural, also means *a few*:

   quelque chose *something*   **quelques sacs** *some bags, a few bags*

   Be careful to distinguish between **quelques** and **peu**:

   quelques hommes *a few men*   **peu d'hommes** *few men*

 EXERCICE C

Ajoutez (Add) aux phrases les mots entre parenthèses. Faites tous les autres changements nécessaires:

EXEMPLE: Ce pays a **des lacs.** (peu)
Ce pays a **peu de lacs.**

1. Tu écoutes des disques? (combien)

---

2. Prêtez-moi de l'argent. (un peu)

_____

3. Pourquoi Jean demande-t-il du papier? (tant)

_____

4. Voici du thé, Simone. (une tasse)

_____

5. Y a-t-il de l'eau dans la bouteille? (assez)

_____

6. Donnez-moi de la laine, s'il vous plaît. (plus)

_____

7. Nous perdons du temps, n'est-ce pas? (trop)

_____

8. Il y a des mouchoirs dans cette boîte-là. (plusieurs)

_____

9. Choisissons de la soie. (cinq mètres)

_____

10. Elle attend des amis. (quelques)

_____

EXERCICE D

Complétez les expressions en français:

1. (enough) _____ essence

2. (as many) _____ fois

3. (less) _____ crème

4. (a little) _____ eau

5. (so many) _____ poissons

6. (few) _____ repas

7. (fewer) _____ ponts

8. (as much) _____ lait

9. (many) _____ églises

10. (little) _____ beurre

11. (so much) _____ soie

12. (too much) _____ laine

13. (a few dozen) _____ œufs

14. (how many bottles) _____ bière

15. (enough boxes) _____ crayons

◼ EXERCICE E

Substitution graduelle. This exercise begins with a French sentence. Complete each of the following sentences by substituting the new word or words and using as much of the preceding sentence as possible:

EXEMPLE: Gabrielle mange de la viande.

_____ moins _____.	Gabrielle mange moins de viande.
_____ fromage.	Gabrielle mange moins de fromage.
_____ deux morceaux _____.	Gabrielle mange deux morceaux de fromage.

Avez-vous des crayons?

1. _____ beaucoup _____?

2. _____ une boîte _____?

3. _____ quelques _____?

4. Voilà _____ œufs.

5. _____ une douzaine _____.

6. Nous achetons _____ tomates.

7. _____ plusieurs _____.

8. As-tu assez _____?

9. _____ essence?

10. Voici deux litres _____.

11. _____ vin.

12. Donnez-moi un verre _____ .

13. _____ trois bouteilles _____ .

14. _____ un peu _____ sel.

15. Je préfère moins _____ .

2.3 Résumé

Words denoting quantity are followed by **de,** without the article, before the noun:

une tasse de café *a cup of coffee*   **trop de parfum** *too much perfume*

EXERCICE F

Répondez en français en employant le mot entre parenthèses:

1. Y a-t-il de bons musées à Paris?   (tant)

   _____

2. Combien de robes Mme Duval choisit-elle?   (plusieurs)

   _____

3. Manges-tu du chocolat?   (moins)

   _____

4. Vos voisins font-ils beaucoup de bruit?   (peu)

   _____

5. Combien de stylos y a-t-il dans le tiroir?   (douzaine)

   _____

6. Avez-vous des devoirs pour demain?   (assez)

_____

7. Y a-t-il d'autres étudiants intelligents dans votre classe?   (beaucoup)

_____

8. Combien de lait allez-vous acheter?   (litre)

_____

9. Y a-t-il des voitures dans la rue?   (trop)

_____

10. Elle désire emprunter du sucre?   (livre)

_____

Negative Expressions

3.1

You have learned how to express negative sentences using **ne . . . pas** (*not*). There are in French, as in English, other negative expressions:

Il n'écoute *jamais*.	*He never listens.*
Il n'écoute *plus*.	*He no longer listens.*
Il n'écoute *rien*.	*He listens to nothing.*
Il n'écoute *personne*.	*He listens to no one.*
N'écoute-t-il *jamais*?	*Doesn't he ever listen?*
N'écoute-t-il *plus*?	*Doesn't he listen any more?*
N'écoute-t-il *rien*?	*Doesn't he listen to anything?*
N'écoute-t-il *personne*?	*Doesn't he listen to anyone?*

NOTES:

1. In negative sentences, **ne (n')** precedes the verb. The second element of the negative follows the verb. In interrogative word order, the second element follows the subject pronoun.

2. After the negatives **jamais** and **plus,** just as after **pas, de** replaces the indefinite article and usually means *any*:

Je ne perds jamais de temps.	*I never waste any time.*
Nous n'entendons plus de bruit.	*We no longer hear any noise.*
Michel ne porte jamais de chapeau.	*Michael never wears a hat.*

3. **Personne** has two meanings:

   a. When used as a negative, **personne** means *no one*.
   b. When used as a noun, **la personne** means *person*.

4. **Rien** and **personne** may be used as subjects of the verb. **Ne** retains its usual position, before the verb:

   > *Rien ne* **dure pour toujours.**   *Nothing lasts forever.*
   > *Personne n'***habite cette vieille maison.**   *No one lives in that old house.*

5. The expression **De rien** (*you are welcome*) is used like **Il n'y a pas de quoi**, as a reply to **merci**:

   —**Merci bien.** —**De rien.**

 EXERCICE A

Repeat each sentence, replacing pas *first with* **jamais**, *then with* **plus**:

EXEMPLE: Tu ne chantes **pas.**

Tu ne chantes **jamais.** Tu ne chantes **plus.**

1. Je ne suis pas malade.

   _____   _____

2. N'étudiez-vous pas?

   _____   _____

3. Est-ce que Thomas ne regarde pas la télévision?

   _____

   _____

4. Nous ne dansons pas dans la salle de séjour.

   _____

   _____

5. Pourquoi ne répondent-ils pas au téléphone?

   _____

   _____

   _____

▨ EXERCICE B

_____

In spoken French, a statement with interrogative intonation is often used as a question. Answer the following questions negatively with rien *or* personne:

EXEMPLES: Tu manges **quelque chose**?   Non, je **ne** mange **rien**.
             Daniel parle à **quelqu'un**?   Non, il **ne** parle à **personne**.

1. Pauline désire quelque chose?

   _____

2. Nous oublions quelqu'un?

   _____

3. Vous faites quelque chose?

_____

4. L'agent cherche quelqu'un?

_____

5. Vous portez quelque chose sous le bras?

_____

6. J'entends quelque chose?

_____

7. Ces personnes attendent quelqu'un?

_____

8. Tu couvres quelque chose?

_____

9. Qui punissent-ils?

_____

10. Qu'est-ce que tu bâtis?

_____

_____

■ EXERCICE C

_____

Mettez les phrases à la forme négative en employant les mots entre paranthèses:

EXEMPLE: J'ai **du** beurre.   (pas)
Je **n**'ai **pas de beurre.**

1. Faites-vous des fautes?   (jamais)

_____

2. Cet enfant écoute-t-il?   (rien)

_____

3. Il y a des enveloppes dans le tiroir.   (plus)

_____

4. Tu entends?   (personne)

_____

5. Choisissez cette route.   (jamais)

_____

6. Pourquoi a-t-elle une bicyclette?   (plus)

_____

7. Neige-t-il en été?   (jamais)

_____

8. Je suis fatigué.   (plus)

_____

9. Aident-ils?   (personne)

_____

10. Nous achetons des cravates.   (plus)

_____

VOCABULAIRE			
durer	_to last_	**le bureau**	_office_
frapper	_to knock, strike_	**le réfrigérateur**	_refrigerator_

Complétez les phrases en ajoutant **rien** *ou* **personne:**

1. Qui est malade? — _____ n'est malade.

2. Quelque chose est sur le piano? — Non, _____ n'est sur le piano.

3. Merci bien, Claude. — De _____ .

4. Est-ce que quelqu'un pleure? — Non, _____ ne pleure.

5. Qu'est-ce qui est dans le réfrigérateur? — _____ n'est dans le réfrigérateur.

6. Quelqu'un frappe à la porte? — Non, _____ ne frappe à la porte.

7. Qui entre dans le bureau? — _____ n'entre dans le bureau.

8. Est-ce que j'entends quelque chose qui sonne?—Non, _____ ne sonne.

3.2 Résumé

Negative expressions that follow the pattern of **ne . . . pas:**

ne . . . jamais	*never, not ever*	**ne . . . plus**	*no more, no longer, not any more*
ne . . . rien	*nothing, not anything*	**ne . . . personne**	*no one, not anyone*

■ EXERCICE E

Donnez les équivalents en français:

1. Don't leave anything on that table.

2. They never answer.

_____

3. Why don't they ever answer?

_____

4. It's not raining any longer.

_____

5. No one is working today.

_____

6. We ask for nothing!

_____

7. Don't you dance any more?

_____

8. Why don't you (familiar) listen to anyone?

_____

9. Nothing is in the drawer.

_____

10. Isn't Charles eating anything?

_____

Répondez en français en employant les mots entre parenthèses:

1. Ont-ils de l'argent?   (ne . . . plus)

2. Vous écoutez quelque chose?   (rien)

3. Qui attendent-elles?   (personne)

4. Quand porte-t-il un parapluie?   (jamais)

5. Qu'est-ce que j'oublie?   (rien)

6. Tu es triste?   (jamais)

7. La cloche sonne-t-elle?   (plus)

8. Quelqu'un désire jouer aux cartes?   (personne)

9. Qu'est-ce qui est dans cette bouteille?   (rien)

10. Le directeur est dans son bureau?   (plus)

■ EXERCICE G

Pair up with another student and act out the following minidialogs in French:

	STUDENT A	STUDENT B
Dialog 1:	Ask B how many eggs she wants to buy. Ask B if she wants to buy any cheese.	Tell A you want to buy two dozen eggs. Tell A yes, you want to buy a pound of cheese.
Dialog 2:	Ask B why there is no longer any snow in the street. Ask B what today's date is.	Tell A there is never any snow when the weather is warm. Tell A today is April 1st.
Dialog 3:	Ask B for some wool and some silk. Thank B very much.	Offer A one meter of wool and three meters of silk. Tell A she is welcome.
Dialog 4:	Ask B to give you a few pieces of chalk. Ask B if he has a pen.	Tell A you no longer have any chalk. Tell A you have no pen but you have a box of pencils.
Dialog 5:	Ask B if he wants more sugar in his cup of coffee. Offer B some milk and some cream.	Tell A there is enough sugar in your coffee. Tell A to give you a little more milk, please.
Dialog 6:	Ask B if someone is knocking at the door. Ask B if there is anything behind the door.	Tell A no, no one is knocking at the door. Tell A that there is nothing behind the door.

4 Present Tense of dire, lire, écrire

Let's learn the present tense of three very useful verbs that form part of our daily language:

dire *to say, tell*   **lire** *to read*   **écrire** *to write*

4.1 Dire *(to say, tell)*

Study and memorize the following sentences in the PRESENT TENSE (based on the expression **dire la vérité** *(to tell the truth)*):

Je dis la vérité.	*Nous disons* la vérité.
Tu dis la vérité.	*Vous dites* la vérité.
Il (Elle) dit la vérité.	*Ils (Elles) disent* la vérité.

NOTES:

1. What is the usual verb ending when the subject is **vous**? Which two other verbs have the **vous** form ending in **-es**?*

---

* **être** and **faire**

— **Tu dis la vérité, n'est-ce pas?**
— **Certainement, je dis toujours la vérité!**

2. The forms of the imperative are the same as those of the present tense:

Dis la vérité.   *Dites* la vérité.   *Disons* la vérité.

3. The interrogative forms of the three verbs in this lesson follow the regular pattern:

Dis-tu la vérité?   Ne dites-vous pas la vérité?

 EXERCICE A

Répétez les phrases en substituant les sujets indiqués:

Pierre dit bonjour.

1. Ils _____.

2. Nous _____.

3. Claudine _____.

4. Je _____.

5. Vous _____.

6. Tu _____.

Dit-elle la vérité?

7. _____-vous _____?

8. _____-ils _____?

9. Est-ce que je _____?

10. _____-tu _____?

Ne dis-tu pas la vérité?

11. _____-nous _____?

12. _____-elles _____?

13. _____-vous _____?

14. _____-il _____?

15. Est-ce que je _____?

4.2 Lire *(to read)*

Study and learn the following sentences in the PRESENT TENSE, based on the expression **lire à haute voix** *(to read aloud)*:

Je lis à haute voix.   *Nous lisons* à haute voix.
Tu lis à haute voix.   *Vous lisez* à haute voix.
Il (Elle) lit à haute voix.   *Ils (Elles) lisent* à haute voix.

The forms of the imperative are the same as those of the present tense:

Lis à haute voix.   *Lisez* à haute voix.   *Lisons* à haute voix.

— Qu'est-ce que tu lis?
— Je lis un article intéressant.

 EXERCICE B

Répétez la phrase en substituant les sujets indiqués:

Tu lis bien.

1. Vous _____

2. Nous _____

3. Je _____

4. Les jeunes filles _____

5. Mon frère _____

■ EXERCICE C

Change each sentence in Exercise B to a question, using the inverted form where possible:

1. _____

2. _____

3. _____

4. _____

5. _____

■ EXERCICE D

Mettez à la forme négative les phrases de l'Exercice C:

1. _____

2. _____

3. _____

4. _____

5. _____

4.3 Écrire *(to write)*

The following sentences in the PRESENT TENSE are based on the expression
écrire au crayon *(to write in pencil)*:

J'écris au crayon.   *Nous écrivons* au crayon.
Tu écris au crayon.   *Vous écrivez* au crayon.
Il (Elle) écrit au crayon.   *Ils (Elles) écrivent* au crayon.

— Écris-tu une lettre, Henri?
— Non, maman, j'écris mes devoirs.

The forms of the imperative are the same as those of the present tense:

Écris au crayon.   *Écrivez* au crayon.   *Écrivons* au crayon.

 EXERCICE E

Mettez à la forme négative:

1. Écris-tu les phrases? _____

2. Écrivons les phrases. _____

3. Écrit-il les phrases? _____

4. J'écris les phrases. _____

5. Les enfants écrivent-ils les phrases? _____

_____

_____

Mettez au pluriel:

1. Elle écrit les exercices. _____ les exercices.

2. Écris les exercices. _____ les exercices.

3. L'élève n'écrit pas les exercices. _____ les exercices.

4. J'écris les exercices. _____ les exercices.

5. N'écris-tu pas les exercices? _____ les exercices?

4.4 Résumé

dire	lire	écrire
je dis	je lis	j' écris
tu dis	tu lis	tu écris
il (elle) dit	il (elle) lit	il (elle) écrit
nous disons	nous lisons	nous écrivons
vous dites	vous lisez	vous écrivez
ils (elles) disent	ils (elles) lisent	ils (elles) écrivent

IMPERATIVE

dis, dites, disons	lis, lisez, lisons	écris, écrivez, écrivons

Using **qu'est-ce que (qu')** *(what),* ***form questions in the present tense with the verb and subject indicated:***

EXEMPLE: (attendre: elle)   **Qu'est-ce qu'elle attend?**

1. (dire: vous) _____

2. (écrire: il) _____

3. (dire: nous) _____

4. (lire: Nicole) _____

5. (écrire: elles) _____

6. (lire: je) _____

7. (dire: l'avocat) _____

8. (écrire: tu) _____

9. (lire: vous) _____

10. (dire: je) _____

11. (lire: nous) _____

12. (dire: tu) _____

13. (écrire: nous) _____

14. (lire: ces personnes) _____

15. (écrire: vous) _____

la langue	*language*	le français	*French*
l'allemand (m)	*German*	l'italien (m)	*Italian*
l'anglais (m)	*English*	la vérité	*truth*
l'espagnol (m)	*Spanish*	à haute voix	*aloud*

NOTES:

1. All names of languages in French are masculine and written with a small letter.

2. When such names are written with capital letters, they refer to PERSONS, the inhabitants of the country or region:

Les *Anglais* et les *Américains* parlent anglais.	*Englishmen and Americans speak English.*
Mme Lambert est *Française.*	*Mrs. Lambert is French (a French-woman).*
Est-elle *Parisienne?*	*Is she (a) Parisian?*

3. The definite article is used with names of languages:

Étudiez-vous *l'*allemand?	*Are you studying German?*
Nous aimons bien *le* français.	*We like French very much.*

4. The definite article is omitted when the name of the language comes after the verb **parler** or after **en** (*in*):

Parlez-vous italien?	*Do you speak Italian?*
Non, mais je parle espagnol.	*No, but I speak Spanish.*
Écrivons la lettre en anglais.	*Let's write the letter in English.*
Françoise répond en français.	*Frances answers in French.*

 EXERCICE H

Complétez les phrases en donnant les équivalents français des mots entre parenthèses:

1. (Spanish) _____ est une langue étrangère.

2. (aloud)   Lisez le passage _____, s'il vous plaît.

3. (English)   Nous étudions _____ tous les jours à l'école.

4. (The French)   _____ mangent beaucoup de pain.

5. (German)   Parlez-vous _____ à la maison, Robert?

6. (German; English)   Mais non! Ma mère est _____,

   mais nous parlons _____.

7. (That Englishman)   _____ est un très bel homme, n'est-ce pas?

8. (in French or in Spanish)   Jacques écrit-il la lettre _____

   _____?

9. (Italian)   J'aime bien écouter _____.
   C'est une très jolie langue.

10. (Spanish)   Les habitants du Mexique parlent _____.

EXERCICE I

Répondez en français par des phrases complètes:

1. Qu'est-ce que vous écrivez maintenant?

   _____

2. Qui dit bonjour au professeur?

   _____

3. Vous aimez parler français?

_____

4. Quand allons-nous lire les télégrammes?

_____

5. Est-ce que tu dis quelque chose?

Non, _____

6. Votre mère est Anglaise?

_____

7. Ces poètes écrivent-ils en espagnol ou en français?

_____

8. Lisez-vous souvent dans la bibliothèque?

_____

9. Est-ce que je vais écrire une lettre ou une carte postale?

_____

10. Quelles deux langues les Canadiens parlent-ils?

_____

■ **EXERCICE J**

_____

Tell someone in French

1. not to read that book.

_____

2. to write in French or in Italian.

_____

3. to tell you the answer, please.

_____

4. that you read English well.

_____

5. your brother is writing a song.

_____

6. you are not writing anything.

_____

_____

▨ EXERCICE K

_____

Ask Mme Girard

1. how many foreign languages she reads.

_____

2. if she likes Italian.

_____

3. if her children are studying Spanish.

_____

4. if her husband doesn't speak German.

_____

◼ EXERCICE L

Ask your cousin

1. why he never reads the newspaper.

_____

2. who is telling the truth, Peter or James.

_____

3. to write the sentences in pencil.

_____

4. not to say the name aloud.

_____

5. if his doctor is German.

_____

5 *Numbers*

You know how to express numbers in French through 79. Test yourself in Exercise A below:

 EXERCICE A

Lisez à haute voix en français:

1. 41 + 21 = 62
2. 74 − 4 = 70
3. 7 × 11 = 77
4. 73 − 14 = 59
5. 15 + 16 = 31
6. 3 × 25 = 75
7. 71 − 20 = 51
8. 4 × 12 = 48
9. 2 × 36 = 72
10. 61 minutes

5.1

Let's continue our study of numbers:

80	quatre-vingts	90	quatre-vingt-dix
81	quatre-vingt-un(e)	91	quatre-vingt-onze
82	quatre-vingt-deux	92	quatre-vingt-douze
83	quatre-vingt-trois	93	quatre-vingt-treize
84	quatre-vingt-quatre	94	quatre-vingt-quatorze
85	quatre-vingt-cinq	95	quatre-vingt-quinze
86	quatre-vingt-six	96	quatre-vingt-seize
87	quatre-vingt-sept	97	quatre-vingt-dix-sept
88	quatre-vingt-huit	98	quatre-vingt-dix-huit
89	quatre-vingt-neuf	99	quatre-vingt-dix-neuf

NOTES:

1. Compound numbers through 99 are hyphenated, except for 21, 31, 41, 51, 61, and 71, where the hyphen is replaced by **et**.

2. **Quatre-vingts** drops the **s** before another number:

quatre-vingts voix *eighty voices*

quatre-vingt-cinq voix *eighty-five voices*

 EXERCICE B

Recite:

1. the even numbers from 80 to 98
2. the odd numbers from 81 to 99

5.2

100	**cent**	204	**deux cent quatre**
101	**cent un(e)**	300	**trois cents**
117	**cent dix-sept**	325	**trois cent vingt-cinq**
200	**deux cents**	800	**huit cents**

871   **huit cent soixante et onze**

NOTES:

1. With **cent** *(a hundred, one hundred)*, the indefinite article is omitted:

   cent fois   *a hundred times*   **cent langues**   *one hundred languages*

2. The plural of **cent**, like **quatre-vingts**, drops the **s** before another number:

   deux cents livres   *two hundred books*
   deux cent cinquante livres   *two hundred fifty books*

3. The hyphen is used only in numbers or parts of numbers below 100:

   120   **cent vingt**   435   **quatre cent trente-cinq**
   679   **six cent soixante-dix-neuf**

▪ EXERCICE C

Give the French number that comes after each of the following numbers:

1. quatre-vingt-quatorze _____

2. soixante-dix-neuf _____

3. quatre cents _____

4. quatre-vingt-dix-neuf _____

5. sept cent quarante _____

6. quatre-vingt-six   _____

7. cent   _____

8. quatre-vingts   _____

9. deux cent soixante-dix _____

10. quatre-vingt-dix   _____

5.3

1 000	mille
1 001	mille un
1 100	mille cent or onze cents
1 789	dix-sept cent quatre-vingt-neuf
2 000	deux mille
5 300	cinq mille trois cents
7 218	sept mille deux cent dix-huit
100 000	cent mille
1 000 000	un million
5 000 000	cinq millions

NOTES:

1. With **mille** (*a thousand, one thousand*), the indefinite article is omitted:

    mille personnes   *a thousand persons*   **mille dix**   *one thousand ten*

2. **Mille** does not change in the plural:

    trois mille billets   *three thousand tickets*
    huit mille ans   *eight thousand years*

3. **Million** is a noun and may have an indefinite article before it. **Million** is also a word of quantity (see Lesson 2) and is followed by **de** before another noun:

    un million de fermiers   *a million farmers*
    deux millions d'habitants   *two million inhabitants*

4. French uses a space instead of a comma to separate thousands.

VOCABULAIRE

le chemin	*road*	**l'étoile** (f)	*star*
le pont	*bridge*	**l'habitant** (m)	*inhabitant*
la ferme	*farm*	**le franc**	*franc*
le fermier	*farmer*	**le dollar**	*dollar*

 EXERCICE D

Donnez les équivalents français:

1. eighty francs _____

2. eight hundred francs _____

3. ninety-one dollars _____

4. a thousand dollars _____

5. eighty-one farms _____

6. three thousand francs _____

7. four hundred bridges _____

8. two hundred fifty bridges _____

9. ninety-eight roads _____

10. a hundred roads _____

11. a million farmers _____

12. six thousand three hundred seventy inhabitants

---

13. one thousand one hundred one inhabitants

_____

14. a thousand stars _____

15. ten million stars _____

5.4 Résumé

1. The word **et** replaces the hyphen in 21, 31, 41, 51, 61, and 71. In all other compound numbers below 100, the hyphen is used:

    cinquante et un   cinquante-six

2. **Quatre-vingts** and the plural of **cent** drop the s before another number:

    quatre-vingts dollars   neuf cents ans
    quatre-vingt-sept dollars   neuf cent vingt ans

3. With **cent** and **mille,** the indefinite article is omitted:

    cent ponts _one hundred bridges_   **mille chemins** _a thousand roads_

4. **Mille** has the same form in the singular and plural:

    mille fermiers   trois mille francs   cent mille habitants

5. **Million** is a noun, followed by **de** before another noun:

    un million de voitures   deux millions d'arbres

_____

■ EXERCICE E

_____

Écrivez le nombre:

1. mille cinq   _____

2. cinq mille   _____

-Y a-t-il mille étoiles ou un million d'étoiles dans le ciel, papa?

3. quatre-vingt-dix-neuf   _____

4. six cents   _____

5. six cent six   _____

6. un million mille quatre   _____

7. huit mille cent   _____

8. cent mille huit   _____

9. un million soixante-quinze   _____

10. trois mille sept cent quatre-vingt-treize _____

5.5 Ordinal Numbers

The numbers you have learned so far—the numbers we use most frequently—are called CARDINAL numbers. We also use ORDINAL numbers, like *first*, *second*, *third*, when we wish to indicate order or position in a series: the *first* seat in the *third* row.

Study the French ordinal numbers below. How are most of them formed?

1st	**premier, première**	6th	**sixième**	11th	**onzième**
2nd	**deuxième**	7th	**septième**	12th	**douzième**
3rd	**troisième**	8th	**huitième**	13th	**treizième**
4th	**quatrième**	9th	**neuvième**	14th	**quatorzième**
5th	**cinquième**	10th	**dixième**	15th	**quinzième**

NOTES:

1. Except for **premier**, the ordinal numbers are formed by adding **-ième** to the cardinal numbers.

2. Silent **e** is dropped before **-ième**: **quatrième**.

3. A **u** is added to **cinq** to form **cinquième**; the **f** of **neuf** changes to **v** in **neuvième**.

4. In addition to **deuxième**, the adjective **second, seconde** is also used to refer to the second of two.

5. Since ordinal numbers are adjectives, they agree with the nouns they modify:

   la première fois *the first time*
   les premiers jours *the first days*
   un billet de seconde classe *a second class ticket*

6. The final vowel of the definite article is retained before **huitième** and **onzième**.

   la huitième semaine *the eighth week*   **le onzième nom** *the eleventh name*

 EXERCICE F

Complètez les phrases:

EXEMPLE: Octobre est le dixième mois de l'année.

1. Mars _____

2. Juin _____

3. Janvier _____

4. Novembre _____

5. Août _____

6. Mai _____

7. Février _____

8. Décembre _____

9. Avril _____

10. Septembre _____

Jeanne célèbre son neuvième anniversaire.

EXERCICE G

Donnez les équivalents en français:

1. the seventh morning _____

2. the thirteenth song _____

3. the ninth word _____

4. the first questions _____

5. the fifteenth customer _____

6. the second office _____

7. the fourth season _____

8. the tenth time _____

9. the fourteenth country _____

10. (the) Fifth Avenue _____

EXERCICE H

Complétez les phrases:

1. Dix fois dix font _____.

2. Dix fois onze font _____.

3. Le _____ mois de l'année est juillet.

4. Soixante et vingt font _____.

5. Cent moins deux font _____.

6. Cinq fois cent font _____.

7. Deux fois cent un font _____.

8. Huit fois mille font _____.

9. Henri a cinq ans. Il célèbre son _____ anniversaire aujourd'hui.

10. Cet acteur est très populaire. Il a un million _____ amis!

▮ EXERCICE I

Answer the following questions in complete French sentences, using the cue words in parentheses, where indicated:

1. Combien d'états y a-t-il aux États-Unis?

_____

2. Est-ce votre deuxième tasse de thé?   (first)

Non, _____

3. Combien de jours y a-t-il dans une année?

_____

4. C'est la huitième leçon qui est difficile?   (ninth)

Non, _____

5. Combien d'habitants y a-t-il dans cette ville?   (three million)

_____

RÉVISION 1

A. Listening Comprehension

Your teacher will read aloud a question or statement in French and will then repeat it. After the second reading, circle the letter of the best suggested response:

1. a. Mais oui, un morceau.
   b. Oui, plusieurs.
   c. Oui, elle est douce.
   d. Oui, un peu.

2. a. Sous mes chaussures.
   b. Dans ma poche.
   c. Cette porte-là.
   d. Sur mes bras.

3. a. Cent quatre.
   b. Quatre-vingt-seize.
   c. Quatre cents.
   d. Vingt-cinq.

4. a. C'est la laine.
   b. Oui, Paul lit à haute voix.
   c. C'est probablement la vérité.
   d. Certainement, il y a beaucoup d'étoiles.

5. a. De la viande.
   b. À six heures.
   c. Sans beurre.
   d. Oui, remplissez les verres.

6. a. Oui, l'allemand.
   b. Oui, français.
   c. Oui, l'Espagnol.
   d. Oui, en italien.

7. a. Il n'y a pas de soie.
   b. J'ai peu de temps.
   c. De rien, monsieur.
   d. Oui, j'écris au crayon.

8. a. Une livre de chocolat.
   b. C'est du parfum.
   c. De nouveaux disques.
   d. Les belles étoiles.

9. a. Deux douzaines.
   b. Trois sacs.
   c. Un mètre.
   d. Quatre kilos.

10. a. Quelques chemins.
    b. Vingt francs.
    c. C'est la cinquième fois.
    d. Elle ne prête jamais d'argent.

B. *Choisissez la réponse convenable:*

1. Ont-ils assez (d', de l') argent pour acheter un réfrigérateur?
2. Voilà (de, des) jolis oiseaux!

3. Dix fois vingt font deux (cent, cents).
   4. Mme Lambert parle à (personne, quelqu'un).
   5. Nous n'avons pas trop (de, du) temps à perdre.
   6. Pardon, monsieur, nous cherchons (cette, cet) adresse.
   7. (Des, Les) chiens sont (des, les) animaux domestiques.
   8. Je vais acheter (un, une) livre de beurre.
   9. Sa nièce a (peu, un peu) d'amies de son âge.
  10. Les (Espagnols, espagnols) parlent (l'espagnol, espagnol) en Espagne.
  11. Pourquoi Renée n'a-t-elle plus (de, des) francs?
  12. Une voiture ne marche pas sans (essence, disques).
  13. Il y a trois (mille, millions) d'habitants dans cette région.
  14. Donnez-moi un litre de (sucre, vin).
  15. Je ne suis pas sûr de son adresse. Je vais écrire le nom de la rue (à, au) crayon.

C. *Trouvez le mot français dans chaque série de lettres:*

   EXEMPLE: c u r e s   sucre

   1. s i m o n _____
   2. r e f e m _____
   3. h e c o s _____
   4. i n a l e _____
   5. r i l e t _____

   6. s m e p t _____
   7. t a n i m _____
   8. u r r e d _____
   9. h o p e c _____
  10. z e s a s _____

D. *Complétez les phrases:*

   1. _____ étoile-là est très brillante.

   2. — Qu'est-ce que vous _____? —Je ne dis rien.

   3. Mille et mille font _____.

   4. Le neuf mars est le _____ jour du mois.

5. Philippe écrit souvent des poèmes _____ français.

6. — Vous cherchez des mouchoirs? — Non, nous cherchons _____ belles cravates.

7. Octobre est le _____ mois de l'année.

8. Cent moins vingt font _____.

9. — Vous lisez l'italien? — Non, mais je _____ l'allemand.

10. Y a-t-il _____ sucre dans ce thé?

11. Est-ce que Claude a autant _____ énergie que vous?

12. — Est-ce que quelqu'un va acheter cette ferme? — Non, _____ n'a assez d'argent.

13. François est malade? Quelle est la cause de sa _____?

14. L'espagnol est une belle _____.

15. — À qui parlez-vous? — Je ne parle à _____.

E. *For each of the illustrations on page 71, write the letter of the appropriate description in the space provided:*

a. Donnez-moi quinze litres d'essence.
b. Il a son mouchoir dans la poche de sa chemise.
c. Le garçon nous apporte des tasses de café.
d. Je vous donne une douzaine d'œufs.
e. Voici ton cadeau d'anniversaire.
f. Il y a trop de voitures sur cette avenue.
g. Ils portent de nouvelles chaussures.
h. Non, il n'y a rien dans le sac.
i. M. Monnier est dans son bureau.
j. Victor lit à haute voix.
k. Coupez-moi trois mètres de soie.
l. Qui porte une cravate? Personne.

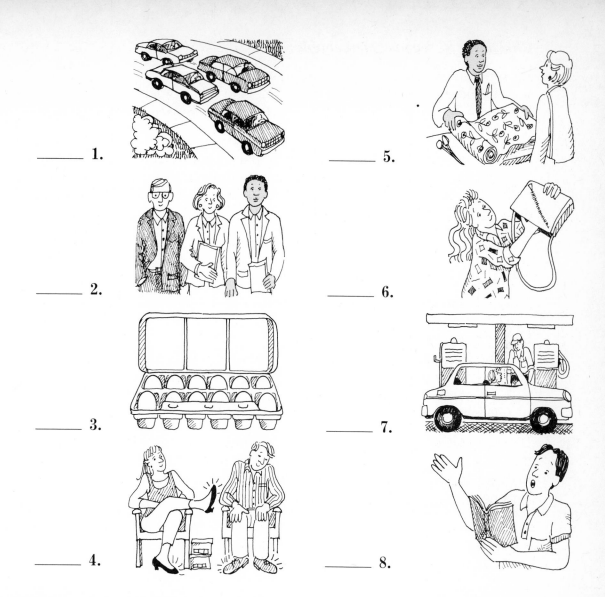

_____ 1.

_____ 2.

_____ 3.

_____ 4.

_____ 5.

_____ 6.

_____ 7.

_____ 8.

F. Reading Comprehension

Read carefully each of the following passages. Guess the meaning of new words from their use in the passage and from recognizable English cognates. Then complete the exercise that follows each passage:

1. —Comment passez-vous le temps, mademoiselle?
   —Je ne fais rien de spécial. Je vais quelquefois au cinéma pour voir (*see*) un film policier ou romantique. Mais je passe beaucoup de temps à la maison, et je travaille souvent avec maman à la cuisine. Je prends (*take*) des leçons de chant. J'aime bien chanter.

La réponse de cette jeune femme indique qu'elle
a. a beaucoup d'intérêts.
b. chante souvent avec sa mère.
c. aide à la préparation des repas.
d. préfère regarder la télévision.

2. Un diplomate de l'Orient représente son pays aux États-Unis. Ce monsieur est un homme très intelligent qui aime parler américain comme un Américain. Un jour, une dame invite cet homme à un dîner à sa maison. La lettre qu'elle écrit est très élégante. Plusieurs jours après, un télégramme arrive pour la dame. Imaginez sa surprise! C'est la réponse du monsieur. Le diplomate répond simplement: «O.K.»

Choisissez la réponse convenable:

a. Ce diplomate représente un pays où la langue officielle (est, n'est pas) l'anglais.
b. Il a (beaucoup, peu) d'intelligence.
c. Il préfère parler l'anglais (de l'Angleterre, des États-Unis).
d. L'invitation de la dame est (bien écrite, très longue).
e. La réponse du diplomate montre son désir d'employer (*use*) une expression (élégante, américaine).

3. Il est minuit et quart quand je quitte (*leave*) ma cabine. Le bateau avance sur une mer (*sea*) calme. Il n'y a personne sur le pont (*deck*). Je ne suis plus malade. Je n'ai plus le mal de mer (*seasickness*). Mon état physique et mental est encore une fois normal.

L'air est humide et dense; mais je préfère cette odeur de la mer à des perles, à des rubis! Après tout, je suis le contraire d'un homme riche et pour ces cinq jours de liberté je paie une somme exorbitante.

Vrai ou faux?

a. Ce voyageur est seul sur le pont. _____

b. Les symptômes de sa maladie n'existent plus. _____

c. Il trouve désagréable l'air humide de la mer. _____

d. Cet homme a beaucoup d'argent. _____

e. Il aime la liberté qu'il trouve en voyageant sur la mer. _____

4. La France est une république constitutionnelle. La constitution de 1958 marque le commencement de la Cinquième République française. Cette constitution garantit l'égalité (*equality*) devant la loi (*law*) de tous les Français. Tous les citoyens (*citizens*) de plus de 18 ans ont le droit (*right*) de voter.

Le Président de la République, qui représente l'autorité suprême de la nation, est le chef (*head*) du gouvernement et le chef des armées. Il nomme le Premier ministre. Sa résidence officielle est le palais de l'Élysée, à Paris.

Le Premier ministre et le Conseil des Ministres assurent l'exécution des lois. Il y a deux Chambres dans le Parlement: l'Assemblée nationale et le Sénat. C'est le Parlement qui vote les lois. La constitution garantit l'indépendance de l'autorité judiciaire, la gardienne de la liberté individuelle, qui administre la justice.

L'emblème national de la France est le drapeau tricolore: bleu, blanc et rouge. La devise (*motto*) de la République est «Liberté, Égalité, Fraternité», la devise de la Révolution française. La Marseillaise, écrite en 1792 par Rouget de Lisle, est l'hymne national. La fête nationale tombe le quatorze juillet. Ce jour marque l'anniversaire de la prise (*taking*) de la Bastille — prison et symbole de la tyrannie — par les Parisiens en 1789. Pour célébrer cette fête, on danse dans les rues.

Complétez les phrases:

a. La _____ République date de 1958.

b. La _____ garantit la justice et la liberté individuelle pour tous les citoyens français.

c. La devise de la nation française est: _____, Égalité,

_____.

d. C'est le _____ de la République qui est le chef de la nation.

e. Il habite le palais de l'Élysée dans la ville de _____.

f. Il choisit le _____ ministre, qui exécute les lois.

g. Le drapeau français est bleu, _____ et _____.

h. On commence à voter en France à l'âge de _____ ans.

i. Le Parlement est composé de _____ Chambres.

j. Pour célébrer le _____, les Français dansent dans la rue.

k. Rouget de Lisle est le compositeur de la _____.

5. — Nous avons décidé de visiter Paris cet été.
— Quelle bonne idée! Pleut-il beaucoup en été?
— Il pleut quelquefois, mais la pluie ne dure pas longtemps. C'est en automne et en hiver qu'il pleut souvent. En janvier et en février il neige de temps en temps. Les oiseaux, qui préfèrent la saison chaude, sont malheureux parce qu'ils ont faim et froid. Mais le climat de Paris est généralement doux et tempéré. Les températures extrêmes sont rares. C'est principalement la beauté de la ville, avec ses activités culturelles et variées, qui nous attire (*attracts*) à Paris. Et quelle joie de dîner en France! Pour nous, la cuisine (*cooking*) française est toujours un plaisir inoubliable.

Choose the correct answer:

1. What kind of weather should a visitor to Paris expect?
   a. constant drizzle   c. frequent snow
   b. mild weather   d. severe temperatures

2. According to the speaker, what makes a visit to the French capital so pleasurable?
   a. the friendliness of the people   c. its unusual location
   b. the beauty of the snowfalls   d. the variety of cultural offerings

6. Au dix-septième siècle (*century*), pendant (*during*) le long règne de Louis XIV, qu'on appelle le «Roi Soleil», la France devient (*becomes*) la nation la plus importante du monde. Louis devient roi (*king*) à l'âge de cinq ans. C'est un monarque absolu, qui déclare «L'État, c'est moi.»

Son long règne de soixante-douze ans est une époque de gloire militaire et de grandeur littéraire et artistique. Son magnifique palais de Versailles est le centre politique, social et culturel de la France. Son ministre, Colbert, encourage l'agriculture, le commerce et l'industrie. Le roi cherche à rendre (*make*) sa cour à Versailles et sa capitale, Paris, les plus élégantes du monde.

Louis encourage la littérature, les arts et la musique. Il aime beaucoup le théâtre. Sous son règne, la France produit ses trois grands auteurs dramatiques classiques: Corneille, Racine et Molière.

Pendant la première partie de son règne (1661–1685), la France est le pays le plus riche et le plus puissant (*powerful*) de toute l'Europe. Mais plus tard le régime perd son prestige. Le roi est trop agressif et insolent. Il préfère humilier ses ennemis — les Hollandais, les Espagnols et les Anglais. Son égotisme, son ambition et son militarisme causent de longues guerres (*wars*) malheureuses pour la France. Ces guerres et la cour somptueuse du roi ruinent l'économie du pays. Quand Louis XIV meurt (*dies*) en 1715, on n'a plus de respect pour lui; il est très impopulaire. La France est dans une situation désastreuse.

Which of the four choices for completing the statement is FALSE?

1. Louis XIV
   a. règne pendant longtemps.
   b. dépense (*spends*) beaucoup d'argent.
   c. déclare qu'il est un roi absolu.
   d. désire être l'ami de tout le monde.

2. Le roi
   a. aime faire la guerre.
   b. est très populaire pendant tout son règne.
   c. est très jeune quand il devient roi.
   d. cultive les beaux arts.

3. Sous son règne
   a. sa cour royale est à Paris.
   b. la France devient un pays très puissant.
   c. il y a des auteurs célèbres.
   d. le roi donne des fêtes magnifiques à Versailles.

4. Pendant la seconde partie de son règne
   a. la France perd des guerres.
   b. le roi n'a plus d'ennemis.
   c. la France est moins riche.
   d. le prestige du régime diminue.

G. *In the following passage, there are numbered blank spaces. Each space represents a missing word or set of words. For each space, four choices are given. First read the entire passage to understand its meaning. Then read it a second time. For each blank space, circle the completion that makes the best sense:*

Naturellement, j'aime la ville où ___(1)___ avec ma famille. Mais j'aime aussi nos excursions à la campagne. Il est toujours intéressant d'entendre la variété de chants des ___(2)___ et de ___(3)___ sous les arbres. Il y a moins de ___(4)___ à la campagne. En automne, nous admirons les ___(5)___ magnifiques des feuilles. Et en hiver, quand ___(6)___ décore les arbres, il y a souvent de la glace (*ice*) sur ___(7)___. C'est une scène pour les artistes.

(1) a. je laisse
    b. j'habite
    c. je dure
    d. je rends

(2) a. chevaux
    b. poissons
    c. bateaux
    d. oiseaux

(3) a. frapper
    b. réussir
    c. marcher
    d. sonner

(4) a. soleil
    b. bruit
    c. maladies
    d. fermes

(5) a. couleurs
    b. drapeaux
    c. soirs
    d. fautes

(6) a. le parfum
    b. la musique
    c. la neige
    d. l'herbe

(7) a. le ciel
    b. les pommes
    c. la soie
    d. les lacs

H. Memory Test

Here is a game to test your memory. You have learned several French words ending in f, such as clef, actif, œuf, attentif. You have also learned a number of words ending in l. There are seven such words in the list below. Each space represents a letter. Before each word is the number of letters. As you go down the list, the words increase by one letter. See how rapidly you can complete the list with words ending in l:

2. __ __

3. __ __ __

4. __ __ __ __

5. __ __ __ __ __

6. __ __ __ __ __ __

7. __ __ __ __ __ __ __

8. __ __ __ __ __ __ __ __

6 *Idiomatic Expressions with* avoir *and* faire

As you examine the languages of the world, you notice that each one has its own special way of expressing ideas. Compare, for example, how English and French differ in the way *age* is expressed. In English, we ask, "How old are you?" French asks, «Quel âge avez-vous?» ("What age have you?")

Fixed expressions peculiar to a given language are called *idiomatic* expressions or *idioms*. In these expressions, the meaning of the individual word gives way to the combination of words, which forms a new idea. Some examples of idioms we use frequently in English are: *make up your mind, burst out laughing, all of a sudden, as a matter of fact.*

 EXERCICE A

Find the idiomatic expressions in each of the following sentences:

1. Well, to cut a long story short, she gave him the cold shoulder.
2. He's decided to turn over a new leaf once and for all.
3. I have his name on the tip of my tongue.
4. On the contrary, I mind my own business.

5. That's right! You've hit the nail on the head.
6. She takes after her mother: she's always on the go.
7. Come to the point! Let's not beat about the bush.
8. Did they give up? No, they wouldn't give an inch.
9. I know you're at your wits' end, but don't lose your head.
10. We arrived in the nick of time. They almost came to blows.

6.1 Expressions with *avoir*

You have already learned a number of French idioms. Some of them are expressions with the verb **avoir**. For example, you have learned:

---

il y a *there is, there are*
il n'y a pas de quoi *you're welcome, don't mention it* (in answer to **merci**)

Expressions of age: **Quel âge a-t-il?** *How old is he?*
                          Il dit qu'il a quinze ans. *He says he's fifteen (years old).*

Study the following additional expressions with **avoir** and learn the model sentences. These expressions are used with *persons*:

---

avoir chaud *to be warm*   **avoir froid** *to be cold*

        Avez-vous froid, Gérard?   *Are you cold, Gerald?*
        Non, monsieur, j'ai chaud.   *No, sir, I'm warm.*

avoir raison *to be right*   **avoir tort** *to be wrong*

      Vous n'avez pas toujours raison!   *You're not always right!*
      Quelquefois vous avez tort.   *Sometimes you're wrong.*

avoir faim *to be hungry*   **avoir soif** *to be thirsty*

    Voici une pomme si vous avez faim.   *Here's an apple if you're hungry.*
    Je n'ai pas faim; j'ai soif.   *I'm not hungry; I'm thirsty.*

avoir sommeil *to be sleepy*

Pourquoi as-tu sommeil, Louise?   *Why are you sleepy, Louise?*
J'ai sommeil parce qu'il est onze heures.   *I'm sleepy because it's eleven o'clock.*

Donnez des réponses convenables en français:

1. Combien de morceaux de craie y a-t-il dans cette boîte?

2. Qui a soif, Léon ou Jules?

3. As-tu toujours raison?

4. Quel beau cadeau! Merci bien, madame.

5. À quelle heure du soir avez-vous généralement sommeil?

6. Votre petit frère a-t-il faim?

7. En quelle saison avons-nous souvent chaud?

8. Qui dit que j'ai tort?

9. Quel âge Renée a-t-elle?

10. Est-ce que les étudiants ont froid dans cette salle?

avoir peur de   *to be afraid of*

       Je n'ai pas peur du bruit.   *I'm not afraid of the noise.*

avoir besoin de   *to need* (literally: to have need of)

    Avez-vous besoin de quelque chose?   *Do you need something?*
    Oui, nous avons besoin de papier.   *Yes, we need paper.*

avoir mal à (with parts of the body)   *to have an ache in*

     Qu'avez-vous?   *What's the matter with you?*
     J'ai mal à la tête.   *I have a headache.* (My head aches.)

NOTE: With parts of the body, the definite article is used instead of the possessive adjective if the possessor is clear:

— Qu'as-tu?   — J'ai mal aux dents.

VOCABULAIRE

la dent	*tooth*	**penser**	*to think*
l'oreille (f)	*ear*	**vivre**	*to live* (be alive)
la tête	*head*	**parce que (qu')**	*because*
le gant	*glove*	**si**	*if*
le vêtement	*article of clothing*	**pour**	*in order to*
les vêtements	*clothes*		

Complétez les expressions idiomatiques:

1. Si tu as _____, mange ce pain avec du beurre.

2. Non, ils n'ont pas raison. Je pense qu'ils ont _____.

3. Nous avons _____ d'eau pour vivre.

4. — Soixante et quarante font cent, n'est-ce pas?

   — Oui, vous avez _____.

5. — Qu'as-tu? — J'ai _____ à la tête.

6. La petite pleure parce qu'elle a _____ du chien.

7. — C'est aujourd'hui mon anniversaire.

   — Félicitations! Quel âge _____-tu?

8. Qu'avez-vous? Avez-vous _____ à l'oreille?

9. Quand nous avons _____, nous portons des vêtements de laine.

10. L'enfant a _____? Donnez-lui ce verre de lait.

6.2 Expressions with *faire*
In expressions of weather, the verb generally used is **faire**:

Quel temps fait-il aujourd'hui?	*How is the weather today?*
Il fait beau aujourd'hui.	*The weather is fine today.*
Il fait mauvais.	*The weather is bad.*
Il fait froid.	*It is cold.*
It fait frais.	*It is cool.*
Il fait très chaud.	*It is very warm.*
Il fait du soleil.	*It is sunny.*
Il fait du vent.	*It is windy.*

Here are some additional expressions with **faire**:

faire attention (à)   *to pay attention (to)*

Alain ne fait pas toujours attention.   *Allen doesn't always pay attention.*
Faites attention à votre professeur.   *Pay attention to your teacher.*

faire une promenade   *to take a walk*

Je fais une promenade tous les matins.   *I take a walk every morning.*

faire un voyage   *to take a trip*

Nous allons faire un voyage en Europe.   *We're going to take a trip to Europe.*

 EXERCICE D

Répondez par une phrase complète en français:

1. Désirez-vous faire un voyage avec nous?

2. En quelle saison fait-il froid?

3. Fais-tu attention en classe?

4. A quelle heure allons-nous faire une promenade?

5. Fait-il du soleil à midi ou à minuit?

Ils font une promenade dans le parc.

Using the present tense of avoir or faire, *write a sentence in French suggested by each of the following pictures:*

1. _____

2. _____

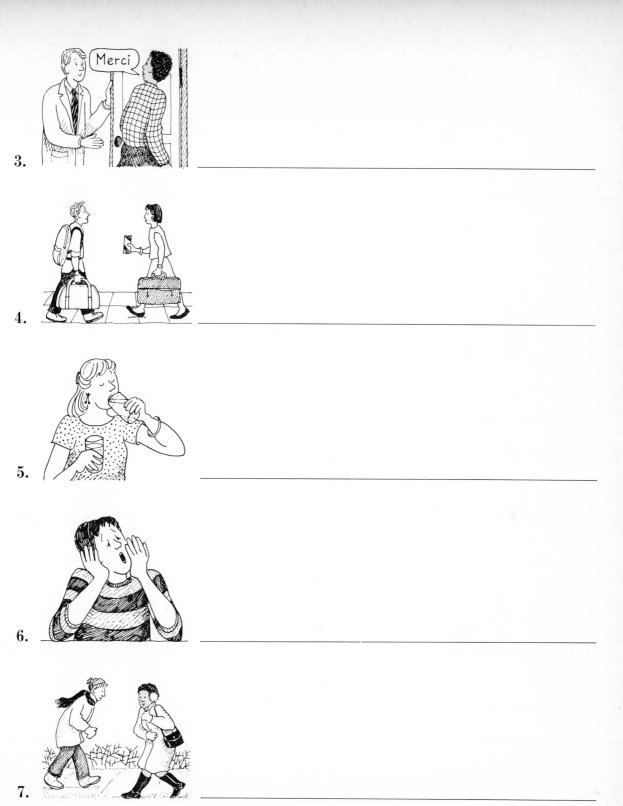

3. _____

4. _____

5. _____

6. _____

7. _____

8. _____

9. _____

10. _____

11. _____

12. _____

■ EXERCICE F

Donnez les équivalents en français:

1. I'm not hungry.

   _____

2. Are you thirsty?

   _____

3. No, but I'm sleepy.

   _____

4. Is Peter right?

   _____

5. No, he's wrong.

   _____

6. The weather is warm.

   _____

7. We are warm.

   _____

8. Let's take a walk this afternoon.

   _____

9. How old is Colette? — She's twelve.

   _____

10. Do they need money?

   _____

11. Does your head ache?

_____

12. Simone has a toothache.

_____

13. When are they going to take a trip?

_____

14. Are you paying attention, Charles?

_____

15. I always pay attention to my mother and father.

_____

16. Thanks. Don't mention it.

_____

17. Why is the child afraid of that animal?

_____

18. In order to open the door, I need my key.

_____

19. He needs a pen (in order) to write.

_____

20. She's wearing gloves because she's cold.

_____

Comparison of Adjectives

We are constantly comparing persons and things. We say, for example: Jim is *stronger than* Joe, but Jack is *the strongest* of the three. The soup is good, the roastbeef is *better*, and the chocolate cake is *the best* of all. I found the movie *as interesting as* the book, perhaps even *more interesting*.

7.1 Comparative

The form of the adjective used to compare *two* persons or *two* things is called the COMPARATIVE. In English, we use such expressions as: *prettier than, more comfortable than, less active than, not so stupid as, as clever as*. In French, there are similar expressions.

COMPARATIVE WITH plus

Roger   **Georges**

Georges est *plus grand que* Roger.
La chaise est *plus chère que* la table.

George is taller than Roger.
The chair is more expensive than the table.

NOTES:

1. The comparative of a French adjective is generally formed by using **plus** (*more*) before the adjective. In English, we use *more* or the ending *-er* on the adjective. French **que** is the equivalent of *than*.

2. The comparative of **bon** is an exception:

bon *good*   **meilleur** *better*

Ces couleurs-ci sont *meilleures que* ces couleurs-là.	*These colors are better than those colors.*

 EXERCICE A

Employez **plus** *et la forme convenable de l'adjectif pour comparer les personnes et les choses indiquées:*

EXEMPLE: Henri . . . intelligent . . . son frère
Henri est plus intelligent que son frère.

1. La table . . . léger . . . le piano

2. Nous . . . fort . . . vous

3. Mme Lambert . . . gentil . . . son mari

4. Les lampes . . . vieux . . . le tapis

5. Ce café . . . mauvais . . . ce thé

6. La salle de séjour . . . grand . . . la salle à manger

_____

7. Les questions . . . bon . . . les réponses

_____

8. Une minute . . . long . . . une seconde

_____

9. Nos voisins . . . actif . . . nous

_____

10. La qualité . . . important . . . la quantité

_____

7.2 Comparative with *moins*

Moins (*less*), the opposite of **plus**, is also used, but less frequently, to form the comparative.

Roger	**Georges**
Roger est _moins grand que_ Georges.	*Roger is not so tall as (less tall than) George.*
La table est _moins chère que_ la chaise.	*The table is less expensive than (not so expensive as) the chair.*

7.3 Comparative with *aussi*

Sometimes we compare two persons or things that are similar or equal; for example, *as good as, as happy as*:

Roger   **Georges**

Georges est *aussi grand que* Roger.   *George is as tall as Roger.*
La chaise est *aussi chère que* la table.   *The chair is as expensive as the table.*

NOTE:

The comparative of equality is expressed in French by using **aussi** before the adjective and **que** after the adjective:

$$\textbf{aussi} + \text{adjective} + \textbf{que} = as + \text{adjective} + as$$

VOCABULAIRE

célèbre	*famous*	**nécessaire**	*necessary*
charmant	*charming*	**poli**	*polite*
fier, fière	*proud*	**sec, sèche**	*dry*
lourd	*heavy*	**la cathédrale**	*cathedral*
moderne	*modern*	**le monde**	*world*

■ EXERCICE B

Complétez les phrases en donnant les équivalents des mots entre parenthèses:

1. (as . . . as)   L'eau est _____ nécessaire _____ l'air.

2. (less . . . than) Elle dit que l'algèbre est _____ difficile _____ la géométrie.

3. (more . . . than) Qui est _____ poli _____ Gilbert?

4. (not so . . . as) Ces pommes sont _____ délicieuses _____ les oranges.

5. (as . . . as) Est-ce que Lucienne est _____ charmante _____ sa mère?

6. (not so . . . as) Nous sommes _____ fiers _____ vous.

7. (drier) Les feuilles sont _____ maintenant.

8. (less . . . than) Ta maison est _____ moderne _____ mon appartement.

9. (not so . . . as) Ce moteur est _____ lourd _____ cette machine.

10. (as . . . as) La France est _____ célèbre pour ses fromages _____ pour ses vins.

7.4 Superlative

The SUPERLATIVE is the highest degree of the adjective. It is used to compare *more than two* persons or things: *the largest* castle, *the most popular* singer.

Roger   Georges   Louis

Roger est grand.   *Roger is tall.*
Georges est plus grand.   *George is taller.*
Louis est *le plus grand*.   *Louis is the tallest.*

La lampe est chère.	*The lamp is expensive.*
La table est plus chère.	*The table is more expensive.*
La chaise est *la plus chère.*	*The chair is the most expensive.*

NOTES:

1. In French, the superlative is formed by using the proper form of the definite article before the comparative. In English, we use *most* or the ending *-est*.

2. Comparative and superlative adjectives agree in gender and number with the modified noun. The position of the adjective, before or after the noun, is generally the same as in the positive:

une belle robe	**une plus belle robe**	**la plus belle robe**
les vêtements légers	**les vêtements plus légers**	**les vêtements les plus légers**

3. In the superlative, a possessive adjective may take the place of the definite article:

leur **plus jeune enfant**	*their youngest child*
nos **jours les plus intéressants**	*our most interesting days*

4. The superlative of **bon** is:

le meilleur *the best*

5. To express the idea of *the least*, the definite article with **moins** is used before the adjective:

Quelle est la science *la moins difficile?* *Which is the least difficult science?*

EXERCICE C

Donnez la forme convenable du superlatif de l'adjectif:

1. (court)   Quel est _____ chemin pour aller à Paris?

2. (utile)   De tous mes cadeaux, ces chemises sont _____.

3. (bas)   Lucienne a la voix _____.

4. (nouveau)   C'est notre _____ voiture.

5. (haut)   Le mont Blanc est la montagne _____ de France.

6. (bon)   Hélène et Alice sont mes _____ amies.

7. (délicieux)   Quels gâteaux sont _____?

8. (intéressant)   Elle pense que Matisse est _____ des artistes.

9. (mauvais)   Ses notes sont _____ de la classe.

10. (doux)   Les pommes rouges sont _____.

7.5 Superlative Followed by *de*

Cette cathédrale est la plus belle *du* pays.   *That cathedral is the most beautiful in the country.*

Victor est le meilleur étudiant *de la* classe.   *Victor is the best student in the class.*

C'est le tableau le moins intéressant *du* musée.   *This is the least interesting picture in the museum*

NOTE: After a superlative **de** is equivalent to *in*.

 EXERCICE D

Mettez l'adjectif à la forme superlative et ajoutez (add) les mots entre parenthèses:

EXEMPLE: Joséphine est une élève aimable. (l'école)
Joséphine est l'élève la plus aimable de l'école.

1. C'est une salle chaude.   (la maison)

_____

2. La tour Eiffel est un monument haut.   (Paris)

_____

3. Ce dessert est délicieux.   (le restaurant)

_____

4. Est-ce que la rose est une jolie fleur?   (le jardin)

_____

5. Cette cathédrale est vieille.   (le monde)

_____

6. La Seine est un fleuve navigable.   (le pays)

_____

7. Ce tableau est probablement célèbre.   (le musée)

_____

8. Oui, l'église est charmante.   (la ville)

_____

9. Le printemps est une saison douce.   (l'année)

_____

10. Ce vin blanc est bon.   (la région)

_____

7.6 Résumé

POSITIVE	COMPARATIVE	SUPERLATIVE
grand *tall*	**plus grand (que)** *taller (than)*	**le plus grand** *the tallest*
belle *beautiful*	**plus belle (que)** *more beautiful (than)*	**la plus belle** *the most beautiful*
chers *expensive*	**moins chers (que)** *less expensive (than), not so expensive (as)*	**les moins chers** *the least expensive*
léger *light*	**aussi léger que** *as light as*	
bon *good*	**meilleur** *better*	**le meilleur** *the best*

EXERCICE E

Donnez les équivalents en français:

1. Are you as tired as we?

_____

2. I'm more tired than you.

_____

3. That drawer is the smallest in the desk.

_____

4. Paul is not so brave as Martin.

_____

5. Mr. Duval is the most polite of our neighbors.

_____

6. The noise is worse today.

_____

7. The other exercises are less difficult.

_____

8. Which lesson is the least difficult?

_____

9. These dresses are the best in the store.

_____

10. Today I'm the happiest person in the world!

_____

_____

▦ EXERCICE F

_____

Répondez aux questions par des phrases complètes:

1. Quel est le mois le plus court de l'année?

_____

2. Est-ce qu'une bicyclette est aussi lourde qu'une voiture?

_____

3. Le vent est moins fort ce matin?

_____

4. Qui est plus fier du garçon, sa mère ou son père?

_____

5. Est-ce que l'éléphant est plus gros ou moins gros que le tigre?

_____

6. Quelle est la plus grande ville des États-Unis?

_____

7. Comment s'appelle votre meilleure amie?

_____

8. Est-ce que notre climat est plus sec que le climat du désert?

_____

9. L'anglais est-il aussi facile que le français?

_____

10. Quelle robe est la moins chère, la bleue, la verte ou la blanche?

_____

8 *Formation and Comparison of Adverbs*

Suppose you would like to describe *how* people do things, for example, *how* they work, *how* they speak, *how* they eat, *how* they think. You might say: they work *carefully*, she speaks *beautifully*, I eat *slowly*, you think *clearly*. Words that describe the action of a verb are called *adverbs*. Most English adverbs end in -ly, which is added to the adjective.

8.1 Formation of Adverbs

The equivalent ending for French adverbs formed from adjectives is **-ment**:

Elles réussissent *facilement*.	*They succeed easily.*
Paul lit *probablement* le journal.	*Paul is probably reading the paper.*

The ending **-ment** is added to the masculine singular of the adjective if the masculine ends in a vowel:

ADJECTIVE	ADVERB	
facile	facilement	*easily*
poli	poliment	*politely*
probable	probablement	*probably*
rapide	rapidement	*rapidly, quickly*
triste	tristement	*sadly*
vrai	vraiment	*truly, really*

Écrivons immédiatement le télégramme. *Let's write the telegram at once.*
Elle frappe doucement à la porte. *She knocks on the door gently.*

The ending **-ment** is added to the feminine singular if the masculine ends in a consonant:

ADJECTIVE	ADVERB	
actif, active	activement	*actively*
attentif, attentive	attentivement	*attentively*
certain, certaine	certainment	*certainly*
doux, douce	doucement	*sweetly, mildly, gently*
fier, fière	fièrement	*proudly*
général, générale	généralement	*generally*
heureux, heureuse	heureusement	*happily, fortunately*
immédiat, immédiate	immédiatement	*immediately, at once*
léger, légère	légèrement	*lightly*
lent, lente	lentement	*slowly*
malheureux, malheureuse	malheureusement	*unfortunately*
parfait, parfaite	parfaitement	*perfectly*
seul, seule	seulement	*only*

◼ EXERCICE A

Complétez la phrase en remplaçant l'adjectif entre parenthèses avec l'adverbe:

1. (général)   Les couleurs des arbres sont _____ très belles en automne.

2. (vrai)   Cet acrobate est _____ remarquable.

3. (actif)   Bernard joue _____ avec les enfants de son âge.

4. (parfait)   Nous sommes _____ contents de vous attendre ici.

5. (lent)   Lisez-nous _____ cette lettre intéressante.

6. (facile)   Mon oncle écrit _____ le français.

7. (malheureux)   _____ les classes recommencent lundi matin.

8. (attentif)   Continuez, madame, s'il vous plaît. Nous écoutons _____ votre histoire.

9. (poli)   Le sénateur répond _____ à toutes leurs questions.

10. (seul)   Cette année, il y a _____ vingt-huit jours en février.

8.2   Other Adverbs

In addition to answering the question *how?*, adverbs may answer the questions *where?* and *when?*, for example: we are *here*, do it *now*. Adverbs may also be used to describe an adjective or another adverb: *very* active, *less* frequently. You have already learned some of these adverbs. Here is a list to refresh your memory:

assez	*enough*	**maintenant**	*now*
aujourd'hui	*today*	**mal**	*badly*
aussi	*as; also*	**moins**	*less*
beaucoup	*much, very much*	**peu**	*little*
bien	*well*	**plus**	*more*
demain	*tomorrow*	**près**	*near*
encore	*still, yet, again*	**quelquefois**	*sometimes*
ici	*here*	**souvent**	*often*
là	*there*	**toujours**	*always*
loin	*far*	**très**	*very*
longtemps	*a long time*	**trop**	*too, too much*

Now let's learn a few additional adverbs:

VOCABULAIRE

alors	*then*	**partout**	*everywhere*
bientôt	*soon*	**peut-être**	*perhaps, maybe*
déjà	*already*	**presque**	*almost*
ensemble	*together*	**surtout**	*especially*
hier	*yesterday*	**vite**	*quickly*

8.3 Position of Adverbs

Je réponds *immédiatement* à son télé-gramme.	*I answer his telegram immediately.*
Vos amis parlent *souvent* de vous.	*Your friends speak of you often.*
Ne fermez pas *encore* les fenêtres.	*Don't close the windows yet.*
Nous ne restons jamais *longtemps* à la campagne.	*We never stay long in the country.*
Cet argent n'est pas *seulement* pour vous.	*This money is not only for you.*

NOTE:

In French, the adverb is generally placed immediately after the verb it modifies. If the verb is negative, the adverb follows the second part of the negative.

 EXERCICE B

Ajoutez à chaque phrase l'adverbe entre parenthèses:

EXEMPLE: (déjà) Antoinette est en Europe.
Antoinette est déjà en Europe.

1. (alors) Nous montons sur le balcon.

_____

2. (encore) Cet appartement n'est pas vide.

_____

3. (doucement)   Mme Rolland chante toutes les chansons.

_____

4. (trop)   Ne remplis pas mon verre.

_____

5. (bien)   Parle-t-il italien ou espagnol?

_____

6. (souvent)   Jeanne ne joue-t-elle pas de la guitare?

_____

7. (vraiment)   Je suis fatigué.

_____

8. (ensemble)   N'allez-vous jamais au cinéma?

_____

9. (bientôt)   C'est la saison des fleurs.

_____

10. (beaucoup)   Ne neige-t-il pas en janvier?

_____

◼ EXERCICE C

Complétez chaque phrase avec le contraire de l'adverbe indiqué:

1. Voyagez-vous **beaucoup** ou _____ pendant les vacances?

2. **Malheureusement** il y a un accident dans la cuisine, mais _____
   il n'y a pas de victimes.

3. Ne récite pas si **rapidement**, Thérèse. Récite _____ ce beau poème.

4. Le disque n'est pas **ici**. Il est _____, sur la table.

5. Est-ce que Louis danse **bien** ou _____?

8.4 Comparison of Adverbs

Vincent finit _vite_. Sylvie finit _plus vite_. Marthe finit _le plus vite_.
Sylvie finit _plus vite que_ Vincent.
Vincent finit _moins vite que_ Marthe.
Robert finit _aussi vite que_ Vincent.

Adverbs are compared like adjectives, except that the article in the superlative is always **le**.

POSITIVE	**vite** _quickly_
COMPARATIVE	**plus vite (que)** _more quickly (than)_ **aussi vite (que)** _as quickly (as)_ **moins vite (que)** _less quickly (than), not so quickly (as)_
SUPERLATIVE	**le plus vite** _(the) most quickly_ **le moins vite** _(the) least quickly_

8.5 Adverbs with Irregular Comparisons

A few adverbs have irregular comparisons:

POSITIVE	COMPARATIVE	SUPERLATIVE
bien _well_	**mieux** _better_	**le mieux** _(the) best_
beaucoup _much_	**plus** _more_	**le plus** _(the) most_
peu _little_	**moins** _less_	**le moins** _(the) least_

NOTES:

1. Some English adverbs have the same form as the corresponding adjectives: *better*, *best*, *worse*, *worst*, *little*, and others. French distinguishes between the adjective and the adverb, since the forms are different:

ADJECTIVE	ADVERB
Cette route-ci est *meilleure* que cette route-là.	**Tu lis *mieux* que moi.**
This road is better than that road.	*You read better than I do.*

2. The expression **aimer mieux** means *to prefer.*

   J'aime mieux commencer immédiatement.   *I prefer to begin at once.*

3. Before numerals, **de** is equivalent to *than:*

   Il y a plus de six statues sur la place.   *There are more than six statues in the square.*

   Nous comptons moins de huit ponts.   *We count fewer than eight bridges.*

Marchons plus vite. Il est presque minuit.

EXERCICE D

Complétez les phrases en français:

1. (*everywhere*)   Est-ce que la liberté d'expression existe _____?

2. (*yesterday*)   Il fait plus beau aujourd'hui qu'_____.

3. (*sadly*)   Les voisins regardent _____ les ruines de la maison.

4. (*prefers*)   Mme Léger aime l'opéra, mais son mari _____ le théâtre.

5. (*still*)   Mes clefs sont _____ dans mon sac.

6. (*almost*)   Il y a des étudiants de _____ toutes les nationalités dans cette université.

7. (*probably*)   Ce détective est _____ très intelligent.

8. (*always*)   Ma cousine a mal aux pieds parce qu'elle achète _____ des chaussures trop petites.

9. (*especially*)   Marguerite est forte en anglais, _____ en littérature.

10. (*soon*)   Dites, vous venez _____, n'est-ce pas?

11. (*perhaps*)   Après les élections, le gouvernement va _____ changer.

12. (*today*)   Heureusement, il ne pleut plus _____.

13. (*too*)   Nous cherchons un hôtel confortable mais pas _____ cher.

14. (*worse*)   Michel joue _____ que moi au tennis.

15. (*only . . . already*)   Cette enfant a _____ onze mois et elle marche

_____ .

■ EXERCICE E

Choisissez la réponse convenable:

1. Ce stylo-ci marche (mieux, meilleur) que ce stylo-là.
2. Malheureusement, le temps est plus (mal, mauvais) ce matin.
3. La conclusion est un (petit, peu) trop longue.
4. Ce chemin est certainement (le meilleur, le mieux).

■ EXERCICE F

Complétez chaque phrase avec le mot convenable:

1. Nous montons _____ vite que possible pour les aider.

2. Les acteurs ne visitent pas moins _____ dix pays.

3. Qui danse _____ mieux, Marc, Léon ou Jules?

4. — Avons-nous encore quinze minutes?   — Non, malheureusement, nous avons

_____ cinq minutes.

5. — Est-ce que je mange beaucoup? — Au contraire, tu manges _____
que nous.

6. Réussit-il aussi bien _____ les autres?

7. J'aime _____ le base-ball que le football.

8. Gabrielle a plus _____ quatre oncles.

9. «Rapidement» est un synonyme de _____.

10. Denise a treize ans. Sa sœur a seize ans. Denise est _____ jeune que sa sœur.

■ EXERCICE G

Répondez aux questions en employant les mots entre parenthèses:

EXEMPLE: Comment descendent-ils?   (lentement)
          Ils descendent lentement.

1. Demeurez-vous près de l'océan?   (loin)

_____

2. Quand ouvrons-nous la boîte de chocolat?   (immédiatement)

_____

3. Ton café est chaud?   (encore)

_____

4. Comment regarde-t-il son portrait?   (fièrement)

_____

5. Y a-t-il des oiseaux dans cette région?   (partout)

_____

6. Est-ce que la malade mange beaucoup?   (légèrement)

_____

7. Combien de temps étudies-tu les mathématiques?   (longtemps)

_____

8. Avez-vous besoin de nous?   (vraiment)

_____

9. Est-ce que l'hôpital est aussi vieux que l'église?   (moins)

_____

10. Cette opération est dangereuse?   (peut-être)

_____

Present Tense of venir, partir, sortir

We have studied the verb **aller** (*to go*). Now let's learn the present tense of the verbs **venir** (*to come*), **partir** (*to go away, leave*), and **sortir** (*to go out, leave*).

9.1 venir

PRESENT TENSE

Je viens à l'école.   *Nous venons* à l'école.
Tu viens à l'école.   *Vous venez* à l'école.
Il (Elle) vient à l'école.   *Ils (Elles) viennent* à l'école.

IMPERATIVE

Viens vite.   *Venez* vite.   *Venons* vite.

Viens vite, Jacqueline!

NOTE: Two verbs conjugated like venir are **revenir** (*to come back, return*) and **devenir** (*to become*).

Donnez la forme convenable du présent ou de l'impératif du verbe entre parenthèses:

1. (venir)   Ce thé _____ de Chine?

2. (revenir)   Je _____ avec notre avocat.

3. (devenir)   Quand nous travaillons trop, nous _____ fatigués.

4. (venir)   _____ avec moi, messieurs.

5. (revenir)   Est-ce que tout le monde _____ bientôt?

6. (venir)   Nous _____ voir notre grand-mère.

7. (devenir)   Les pages du livre _____ jaunes.

8. (venir)   Tu es triste, Lucie? _____ près de moi.

9. (devenir)   Mon frère _____ impossible.

10. (revenir)   À quelle heure _____-vous?

9.2 *partir* and *sortir*

Two frequently used verbs in French are **partir** (*to go away, leave*) and **sortir** (*to go out, leave*). The present tense of both verbs follows the same pattern:

PRESENT TENSE

Je pars à midi.	*Je sors* de la maison.
Tu pars à midi.	*Tu sors* de la maison.
Il (Elle) part à midi.	*Il (Elle) sort* de la maison.
Nous partons à midi.	*Nous sortons* de la maison.
Vous partez à midi.	*Vous sortez* de la maison.
Ils (Elles) partent à midi.	*Ils (Elles) sortent* de la maison.

IMPERATIVE

pars, partez, partons   sors, sortez, sortons

NOTE:

Although both verbs mean *to leave*, each verb stresses a different idea: **partir** = to go *away*; **sortir** = to go *out*.

Nous partons à midi.   **Elle sort de la maison.**

 ## EXERCICE B

Donnez les réponses en imitant l'exemple:

   EXEMPLE: Edmond part vite? — Oui, il part vite.

1. Et vous Lucie? Oui, je _____.

2. Et les voleurs? _____.

3. Et nous? Oui, vous _____.

4. Et moi? Oui, tu _____.

5. Et vous deux? Oui, nous _____.

■ **EXERCICE C**

Répétez la phrase en substituant les sujets indiqués:

Tu ne sors pas aujourd'hui.

1. Nous _____.

2. Je _____.

3. Les enfants _____.

4. Vous _____.

5. Sa femme _____.

■ **EXERCICE D**

Complétez avec la forme convenable de l'impératif:

1. (partir) Vous avez assez de temps. Ne _____ pas encore.

2. (sortir) _____ immédiatement de cette chambre, Robert!

3. (partir) Notre taxi nous attend. _____ vite.

4. (sortir) _____ maintenant et regardez ces belles fleurs.

5. (sortir) Finissons notre conversation et _____.

VOCABULAIRE

l'avion (m)	*airplane*	**le voleur**	*thief*
le métro	*subway*	**avant**	*before* (in time)
la plage	*beach*	**après**	*after*
la pluie	*rain*	**malgré**	*in spite of*
tout le monde	*everybody, everyone*	**demain matin (soir)**	*tomorrow morning, (evening)*

■ EXERCICE E

Complétez chaque phrase en donnant la forme convenable du verbe:

1. Qui **vient** ce soir? Edmond et moi, nous _____. Et toi, Anne, tu ne

_____ pas?

2. À quelle heure **sortez**-vous généralement? Moi, je _____ avant neuf

heures. Les autres _____ après moi.

3. Le petit poisson **devient** grand. Moi, je _____ paresseux. Ne

_____-vous pas plus actif?

4. Tu **pars** demain matin à la plage? Non, je _____ demain soir. Toi et

ta famille, vous _____ aussi?

5. Quand **revenez**-vous? Nous _____ lundi, mais nos cousines

_____ mardi.

9.3 Résumé

venir *to come*	partir *to go away, leave*	sortir *to go out, leave*
PRESENT TENSE		
je viens tu viens il (elle) vient nous venons vous venez ils (elles) viennent	je pars tu pars il (elle) part nous partons vous partez ils (elles) partent	je sors tu sors il (elle) sort nous sortons vous sortez ils (elles) sortent
IMPERATIVE		
viens, venez, venons	pars, partez, partons	sors, sortez, sortons

■ EXERCICE F

Complétez les phrases avec les équivalents des mots entre parenthèses:

1. (let's go out) Fermons la télévision et _____.

2. (come) Ces artistes _____ d'Italie.

3. (Are they leaving) _____ aux sports d'hiver en décembre?

4. (is becoming) Cette eau _____ trop chaude.

5. (are not going out) Si la pluie continue, vous _____.

6. (to come) Nos cousins vont _____ d'une seconde à l'autre.

7. (does it leave) Quand le train de Bordeaux _____?

8. (Let's never become) _____ impatients.

9. (goes out) Le canari _____ de sa cage.

10. (Come back) _____ dans un quart d'heure.

EXERCICE G

Répondez aux questions par des phrases complètes:

1. Quand les Lanson partent-ils pour le Canada?

_____

2. Sortez-vous souvent sans chaussures?

Non, je _____

3. À quelle heure l'avion part-il pour Rome?

_____

4. Nous allons voir un film de science-fiction. Tu viens avec nous?

_____

5. Est-ce que Gérard sort de la ville en été?

_____

6. Quand est-ce que je reviens?

Tu _____

7. Fermez-vous toujours les fenêtres quand vous sortez?

Oui, nous _____

8. Est-ce que son appétit revient après sa maladie?

_____

9. Vas-tu sortir ce soir?

_____

10. Est-ce que je deviens plus fort en français?

_____

11. Partez-vous malgré la pluie?

    Oui, je _____
12. Qui revient d'Europe demain matin?

    Mes sœurs _____
13. À quelle heure est-ce que tout le monde part?

_____

14. Est-ce que la pollution devient un danger public?

_____

15. En quel mois partez-vous en vacances?

    Nous _____

10 Expressions with à, de, en, tout

In Lesson 6, you learned a number of expressions with the verbs **faire** and **avoir**. In this lesson, you will learn some everyday idiomatic expressions with the prepositions **à**, **de**, and **en**.

10.1 Expressions with *à*

a. **à** *on, by* (with means of transportation)

<table>
<tr><td>à bicyclette</td><td>by bicycle</td><td>à pied</td><td>on foot</td></tr>
</table>

Claude part tout seul *à bicyclette.*	*Claude leaves all alone by bicycle.*
Malgré la pluie, elle va *à pied* au supermarché.	*In spite of the rain, she walks (goes on foot) to the supermarket.*

b. **à** *until* (to indicate a time in the future)

à bientôt	*so long, see you soon*
à demain	*see you tomorrow (until tomorrow)*
à lundi	*see you Monday*

Nous allons à la maison maintenant. *À demain.*	*We're going home now. See you tomorrow.*

c. **à cause de** *because of*

Ne le faites pas *à cause de* moi.	*Don't do it because of me.*

d. à droite   *on (to) the right*
à gauche   *on (to) the left*

Les couteaux sont *à droite* et les four-chettes *à gauche* des assiettes.   *The knives are on the right and the forks on the left of the plates.*

e. à la main   *in one's hand*

Qu'est-ce que tu as *à la main*?   *What do you have in your hand?*

f. à la page . . .   *on page . . .*

Regardez les expressions *à la page* douze.   *Look at the expressions on page twelve.*

g. à l'heure   *on time*

Le train arrive *à l'heure*.   *The train arrives on time.*

h. au contraire   *on the contrary*

—Ce sac est lourd?   *"Is that bag heavy?"*
—*Au contraire*, il est assez léger.   *"On the contrary, it is quite light."*

i. au moins   *at least*

J'étudie *au moins* deux heures chaque soir.   *I study at least two hours each night.*

j. au milieu de   *in the middle of*

Il y a plusieurs statues *au milieu de* la place.   *There are several statues in the middle of the square.*

▮ EXERCICE A

Complétez chaque phrase en employant une fois l'expression convenable:

à cause	à la main	à l'heure	à samedi soir	au milieu
à droite	à la page	à pied	au contraire	au moins

1. — As-tu assez d'argent pour payer les billets?   Oui, j'ai _____ mille francs dans ma poche.

2. Les avions ne partent pas ce matin _____ du mauvais temps.

3. Elle ouvre le journal _____ six.

4. Il y a une belle table _____ de la chambre.

5. Je vais à la banque maintenant. _____.

6. —Vous demeurez près de l'océan? —_____, nous demeurons loin de l'océan.

7. À cause de l'accident, l'autobus ne va pas arriver _____.

8. Quel est cet objet que vous avez _____?

9. Tous les matins, Jérôme fait deux kilomètres _____.

10. —Où est l'appartement de M. Lanson? — C'est la première porte _____.

10.2 Expressions with *de*

a. de bonne heure *early*

Levez-vous *de bonne heure* demain matin. — *Get up early tomorrow morning.*

b. de l'autre côté de *on the other side of*

Il y a une belle plage *de l'autre côté* du lac. — *There's a beautiful beach on the other side of the lake.*

c. quelque chose de bon (nouveau, etc.) *something good (new, etc.)*

Voici *quelque chose de bon* à manger. — *Here's something good to eat.*

NOTE: To describe **quelque chose, de** is used with a masculine singular adjective.

10.3 Expressions with *en*

a. en *by* (with means of transportation)

en avion *by plane*	**en métro** *by subway*	**en voiture** *by car*
en bateau *by boat*	**en train** *by train*	

Vont-ils partir *en avion* ou *en bateau*? *Are they going to leave by plane or by boat?*

b. en bas   *downstairs*
en haut   *upstairs*

> **Est-ce que la famille Leclerc demeure en haut ou en bas?**   *Does the Leclerc family live upstairs or downstairs?*

c. en retard   *late* (= *not on time*)

> **Comment! Il est déjà neuf heures? Nous sommes en retard!**   *What! It's nine o'clock already? We're late!*

NOTE: To stress the idea that the *time* is late, **tard** is used. Compare:

> **Ils arrivent en retard.**   *They arrive late.* (not on time)
> **Ils arrivent tard.**   *They arrive late.* (late in the day)

d. en ville   *downtown, in(to) town*

> **Nous allons en ville cet après-midi.**   *We're going downtown this afternoon.*

10.4   Expressions with *tout*

a. pas du tout   *not at all*

> **Sa maladie est grave? Pas du tout.**   *Is his illness serious? Not at all.*

b. tout à coup   *suddenly, all of a sudden*
tout de suite   *immediately, at once*

> **Tout à coup, il commence à neiger.**   *Suddenly it begins to snow.*
> **Nous descendons tout de suite.**   *We're coming down immediately.*

 EXERCICE B

Complétez chaque phrase en employant une fois l'expression convenable:

à coup	de l'autre côté	en retard	pas du tout
à demain	de suite	en ville	tard
de joli	en haut	en voiture	

1. Il fait beau ici, mais il neige _____ des montagnes.

2. — Tu es prêt? — Oui, j'arrive tout _____.

3. M. et Mme Mercier n'habitent pas au premier étage. Ils habitent _____, au dernier étage.

4. — Est-ce que la température est plus basse maintenant? — _____, elle est plus haute.

5. Marchons plus vite. Je ne désire pas être _____.

6. Nous demeurons _____, près de la Sorbonne.

7. La cliente choisit quelque chose _____.

8. Les enfants sont fatigués parce qu'il est très _____.

9. Tout _____, nous entendons le bruit d'un hélicoptère.

10. Anne-Marie va au musée _____ une fois par mois.

VOCABULAIRE

la main	*hand*	**l'étage** (m)	*story, floor*
le pied	*foot*	**le supermarché**	*supermarket*
l'assiette (f)	*plate*	**demeurer**	*to live*
le couteau	*knife*	**Asseyez-vous.**	*Sit down.*
la fourchette	*fork*	**Levez-vous.**	*Get up.*

EXERCICE C

Complétez les phrases avec le mot convenable:

1. Les touristes vont faire un voyage _____ bateau.

2. Asseyez-vous _____ côté de moi, Gérard.

Ils demeurent en haut, au dernier étage.

3. Tout à _____, le téléphone sonne.

4. — Aimez-vous descendre en parachute? — Pas _____ tout!

5. La station de métro est _____ droite de l'église.

6. Nous regrettons d'être _____ retard.

7. Levez-vous _____ de suite, mes enfants.

8. Ouvrez vos livres _____ la page vingt.

9. Voici quelque chose _____ utile pour vous.

10. Qu'est-ce qu'ils bâtissent de l'autre _____ du parc?

11. Attention! J'ai un couteau _____ la main.

12. Oui, j'aime mieux voyager _____ train.

Complétez les phrases avec les équivalents des mots entre parenthèses:

1. (early)   Elle prépare généralement ses repas _____.

2. (in the middle)   Ne marche pas _____ de la rue.

3. (by subway)   Le professeur va à l'université _____.

4. (at once)   Viens ici _____, Jeannette.

5. (on the left)   — Pardon, madame, je cherche la route de Paris.

                      — C'est la deuxième rue _____.

6. (downstairs)   Thérèse est _____ avec des amis.

7. (because of)   Je ne travaille pas demain _____ la fête.

8. (late)   N'est-il pas trop _____ pour aller au supermarché?

9. (at least)   Il y a _____ une douzaine d'assiettes et de fourchettes sur la table.

10. (something interesting)   J'ai _____ à vous dire.

11. (See you soon.)   Nous sortons maintenant. _____.

12. (by plane)   Ils préfèrent traverser le désert _____.

Expressions with à, de, en, tout   **125**

EXERCICE E

Répondez aux questions par des phrases complètes:

1. Vas-tu à l'école à pied, à bicyclette ou en voiture?

_____

2. Est-ce que ce train va partir à l'heure?

_____

3. À quelle page écrivons-nous cet exercice?

_____

4. Avez-vous un crayon ou un stylo à la main?

_____

5. Quand allez-vous en ville acheter des vêtements, vendredi ou samedi?

_____

10.5

Memorize the following proverb:

Mieux vaut tard que jamais.   *Better late than never.*

RÉVISION 2

A. Listening Comprehension

Your teacher will read aloud a question or statement in French and will then repeat it. After the second reading, circle the letter of the best suggested response:

1. a. Oui, j'aime les animaux.
   b. Non, j'ai tort.
   c. Oui, j'aime mieux les oiseaux.
   d. Ils sont trop lourds.

2. a. Pas du tout.
   b. Oui, j'ai mal au pied.
   c. Oui, il pleut.
   d. Au milieu de l'été.

3. a. Elle a une assiette.
   b. Malgré le mauvais temps.
   c. Elle est à l'heure.
   d. À cause de sa maladie.

4. a. Oui, à Paris.
   b. C'est la Seine, n'est-ce pas?
   c. Oui, nous sommes à la campagne.
   d. Oui, derrière Notre-Dame.

5. a. Oui, ils vont faire de longues promenades.
   b. Non, ils sont en bas.
   c. Oui, il est tard.
   d. Il n'y a pas de quoi.

6. a. Oui, un voleur.
   b. Non, je n'ai plus faim.
   c. C'est délicieux.
   d. J'ai toujours chaud.

7. a. Quelquefois.
   b. Oui, à la main.
   c. Au premier étage.
   d. Oui, avec un couteau.

8. a. Il n'est pas encore midi.
   b. Je ne vais pas quitter la maison.
   c. C'est mardi, le dix.
   d. L'avion part à onze heures.

9. a. Oui, il a soif.
   b. Non, il préfère du café chaud.
   c. Il a mal à l'oreille.
   d. Oui, il neige.

10. a. Je ne vais pas dîner en ville.
    b. Oui, à demain.
    c. Presque toujours.
    d. Oui, tout à coup.

B. *Choisissez l'expression convenable:*

1. Pour manger cette salade, j'ai besoin d'une (fourchette, chaussure).
2. On porte des gants sur les (pieds, mains).

3. Jérôme est très ponctuel; il arrive toujours à (bientôt, l'heure).
4. Qui danse (mieux, meilleur), Dorothée ou Caroline?
5. Le contraire de **entrer** est (sortir, partir).
6. (Le couteau, La robe) est un vêtement.
7. Les deux amis vont (ensemble, hier) à la plage.
8. Nous allons faire une promenade (pour, malgré) le mauvais temps.
9. Ce gâteau n'est pas bon. Il est trop (sec, pire).
10. Attendez-moi. Je reviens (tout à coup, tout de suite).

C. *For each verb in column I, choose the appropriate word or phrase in column II and combine them into an original sentence:*

I	II
demeurer	attention
sortir	mal aux dents
faire	en haut
entrer	au base-ball
jouer	dans la cathédrale
avoir	du métro

1. _____

2. _____

3. _____

4. _____

5. _____

6. _____

D. *Study the pictures below. Then complete the sentences, using an expression beginning with* à *or* en:

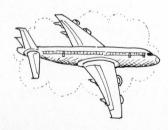

1.   Ces touristes préfèrent voyager _____.

2. Nicole a une fourchette _____.

3. La table est _____ de la chambre.

4. M. Meunier revient du magasin _____.

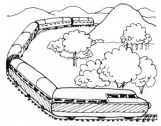

5. Nous allons traverser le Canada _____.

6. Le facteur arrive chaque jour _____.

7.  Quand elle part, Irène dit _____ à son ami.

8. Tout le monde part _____.

9. La lampe est _____ des livres.

10. Les Duval demeurent _____.

E. The Hidden Word

Jean-Pierre is about to treat his sister Marguerite to some ice cream. But where did he put his money? Poor Jean-Pierre can't remember. He and Marguerite search and finally find it. The ice cream is delicious. Can you guess where they looked for the money? The answer is hidden in the puzzle below. Fill in the French words described or missing. Then read down the boxed column and you will find the answer:

1. Eau qui tombe du ciel.   _ _ _ _

2. L'enfant pleure ___ qu'il a faim.   _ _ _ _

3. Contraire de **avant**.   _ _ _ _

4. À quel ___ demeurent-ils? — Au premier.   _ _ _ _

5. Commençons. Tout le ___ est présent.   _ _ _ _

6. Comment on frappe à la porte d'un malade.   <u>D</u> _ _ _ _ _ _ <u>T</u>

7. Je n'aime pas arriver en ___.   _ _ _ _ _

F. Oral Questions and Answers

Write a question with each of the expressions below. Then one student begins by asking one of the questions orally and calls on another student to answer. The student who answers asks the next question, using a different expression. Continue until all ten expressions have been used:

avoir peur de	à droite	plus . . . que
aussi . . . que	avoir mal à	avoir froid
faire une promenade	tout le monde	en voiture
le (la) meilleur(e) de		

G. Reading Comprehension

Read carefully each of the following passages. Guess the meaning of new words from their use in the passages and from recognizable English cognates. Then complete the exercises that follow:

1. Un artiste célèbre et sa femme vont à la campagne. Quand ils arrivent dans un petit village, ils ont faim et ils entrent dans le restaurant du village. Les deux mangent des omelettes, qui sont excellentes, et l'artiste fait ses compli-

ments au chef. Après le repas, il demande l'addition (*bill*). Imaginez sa surprise! L'addition est excessive pour ce repas modeste. Alors il dit au garçon:

— Est-ce que les œufs sont si rares ici qu'ils coûtent si cher?

— Non, monsieur, répond le garçon, les œufs ne sont pas rares, mais les artistes célèbres sont tres rares.

Répondez par des phrases complètes:

a. Qui voyage avec l'artiste?

_____

b. Où arrivent-ils?

_____

c. Pourquoi entrent-ils dans le restaurant?

_____

d. Sont-ils contents de leur repas?

_____

e. Qu'est-ce qui surprend (*surprises*) l'artiste?

_____

f. Quelle raison le garçon donne-t-il pour justifier l'addition?

_____

2. Paul, un garçon de cinq ans, aime beaucoup le chocolat. Il n'est jamais content de manger un seul morceau de chocolat. Un jour, sa mère dit à Paul: «Nos amis, les Lanson, vont dîner avec nous ce soir. Ne prends (*take*) pas de chocolat une seconde fois.» Paul répond: «Non, maman, je vais prendre deux morceaux la première fois.»

Choisissez la réponse convenable:

Paul pense que **a.** tout le monde a besoin de chocolat.

b. les Lanson mangent trop de chocolat.

c. le chocolat est délicieux.

d. deux morceaux de chocolat, c'est trop.

3. Marseille, situé sur la mer Méditerranée, près de l'embouchure (*mouth*) du Rhône, est une vieille ville. C'est la troisième ville de France. C'est le principal port français de commerce et un important port de voyageurs. Tous les jours beaucoup de bateaux entrent dans ce port et un grand nombre de bateaux sortent pour aller dans toutes les parties du monde. La ville est aussi un centre industriel très actif.

Les habitants de Marseille — les Marseillais — aiment bien leur ville. Ils ont beaucoup d'imagination et ils exagèrent un peu. Pour ces habitants, Marseille est la plus belle ville du monde.

Vrai ou faux?

a. Marseille est le plus grand port de mer français. _____

b. La ville est un port international. _____

c. Marseille est plus grand que Paris. _____

d. Tous les fleuves français sont loin de Marseille. _____

e. Il n'y a pas d'industries dans cette région. _____

f. Les Marseillais sont très fiers de leur ville. _____

4. Dans notre hôtel il y a une place pour chaque chose et en particulier pour vos bijoux (*jewels*), votre argent, vos cartes de crédit et vos chèques de voyage. Ne laissez pas vos objets de valeur dans votre chambre ou dans vos bagages. Dans le hall (*lobby*) de l'hôtel il y a un coffre (*safe*) qui est à votre disposition. Il offre une protection de 24 heures à tous vos objets précieux et donne à nos clients une tranquillité d'esprit (*peace of mind*).

Répondez par des phrases complètes:

a. Qu'est-ce qu'il y a dans cet hôtel pour protéger les objets de valeur?

_____

b. Où est-il?

_____

c. Quels objets les clients ne devraient-ils pas (*shouldn't they*) laisser dans leurs chambres?

_____

d. Combien d'heures par jour ces objets sont-ils protégés?

_____

5. Au quatorzième siècle un mouvement intellectuel, scientifique, littéraire et artistique commence en Italie. Ce mouvement, qu'on appelle la Renaissance, arrive en France à la fin (*end*) du quinzième siècle et continue pendant tout le seizième siècle, surtout sous le roi François Ier (premier). Ce roi invite des artistes italiens à venir en France et encourage les écrivains (*writers*) et les artistes français.

La Renaissance apporte un nouveau point de vue. Il y a beaucoup d'enthousiasme pour la vie (*life*) sous tous ses aspects. On trouve l'expression de cet enthousiasme dans les arts, dans la littérature, dans les inventions et dans les voyages d'explorateurs comme Christophe Colomb et Jacques Cartier.

En France la Renaissance produit de grandes œuvres (*works*) d'art et de beaux monuments d'architecture, comme les célèbres châteaux de la Loire. Mais c'est en littérature qu'on trouve les œuvres les plus importantes. Les poètes français imitent les grands poètes grecs, latins et italiens. Les écrivains français ont

beaucoup d'influence sur le développement de la langue et de la littérature françaises. Ils contribuent au perfectionnement du français et à la célèbre clarté (*clarity*) de la prose française. L'écrivain qui représente bien cette époque est François Rabelais, auteur d'histoires joviales et le premier grand prosateur de la littérature française.

La Renaissance est un mouvement extraordinaire. C'est une époque qui cherche le «pourquoi» des choses.

Choose the suitable answer:

1. The Renaissance had its origin in
   a. Germany.   **b.** Italy.   **c.** England.   **d.** France.

2. It was flourishing in France in the year
   a. 1550.   **b.** 1350.   **c.** 1650.   **d.** 1450.

3. Although enthusiasm was evident in many fields, the most significant contributions were made in
   a. science.   **b.** exploration.   **c.** architecture.   **d.** literature.

4. An outstanding result of this movement was
   a. the meeting of Cartier with Columbus.
   b. the poetry of Rabelais.
   c. its effect on the French language.
   d. the emigration of numerous Frenchman.

OCÉAN
ATLANTIQUE

MER
DU NORD

MER BALTIQUE

NORVÈGE

SUÈDE

FINLANDE

ESTONIE

LETTONIE

LITUANIE

IRLANDE

DANEMARK

GRANDE-
BRETAGNE

BELGIQUE

ALLEMAGNE

POLOGNE

U.R.S.S.

LUXEMBOURG

TCHECOSLOVAQUIE

FRANCE

SUISSE

AUTRICHE

HONGRIE

ROUMANIE

PORTUGAL

ESPAGNE

ITALIE

YOUGOSLAVIE

BULGARIE

ALBANIE

GRÈCE

MER MÉDITERRANÉE

5. During this period,
    a. the ideals of the Middle Ages were stressed.
    b. the king of France was a stimulating force.
    c. most people studied Greek and Latin.
    d. poets built castles on the rivers.

6. La France, située dans l'ouest de l'Europe, à égale distance du pôle nord et de l'équateur, occupe une position stratégique dans le continent. A cause de cette position favorable, le pays joue un rôle très important dans l'histoire de l'Europe, surtout pour le commerce international.

La France a des frontières naturelles et des frontières politiques. Trois des six côtés (*sides*) de ce pays, en forme d'hexagone, sont des frontières maritimes; les trois autres sont des frontières terrestres.

Des montagnes forment les frontières entre la France et l'Espagne, l'Italie et la Suisse. Le Rhin sépare le pays d'une partie de l'Allemagne. Mais la frontière qui sépare la France de la Belgique, du Luxembourg et d'une partie de l'Allemagne n'est pas une frontière naturelle. C'est une frontière politique, c'est-à-dire, il n'y a pas d'obstacles naturels, ni (*neither*) fleuve ni (*nor*) montagnes. Les frontières politiques n'offrent pas de protection, mais un des avantages de cette sorte de frontière c'est que les communications entre les pays sont facilitées.

Choisissez la réponse convenable:

a. C'est sa (distance du pôle nord, position en Europe) qui contribue au développement de la France.
b. Des montagnes forment une frontière (politique, naturelle) entre deux pays.
c. Trois côtés de l'hexagone français sont près de (la mer, l'équateur).
d. Si on va de France en Belgique, on traverse une frontière (naturelle, politique).

H. Sing-Along: «Savez-vous planter les choux?»

How much gardening have you done? Have you ever planted vegetables? Well, this old French folk song tells us several ways that are used to plant cabbages. Do you think you could do the same with the three parts of the body mentioned?

Repeat the words after your teacher. Then sing the song four times:

Savez-vous planter les choux?

Allegro

1. Sa - vez-
2. On les
3. On les

vous plan-ter les choux, A la mo-de, à la mo-de, Sa-vez-vous plan-ter les
plante a-vec les mains, A la mo-de, à la mo-de, On les plante a-vec les
plante a-vec les coud's, A la mo-de, à la mo-de, On les plante a-vec les

choux, A la mo-de de chez nous?
mains, A la mo-de de chez nous.
coud's, A la mo-de de chez nous.

4.
On les plante avec le pied,
A la mode, à la mode,
On les plante avec le pied,
A.la mode de chez nous.

5.
On les plante avec le nez,
A la mode, à la mode,
On les plante avec le nez,
A la mode de chez nous.

VOCABULAIRE

savez-vous	*do you know*
le chou	*the cabbage*
à la mode de chez nous	*the way we do*
on les plante	*we plant them*

Personal Pronouns

11.1 Subject Pronouns

In English, you often use the words *we*, *you*, and *they* to refer not to specific persons, but to *indefinite* ones:

> In this country, *we* enjoy freedom of expression.
> How do *you* say that in Spanish?
> In France, *they* like good cooking.

In French, besides the usual subject pronouns — **je, tu, il, elle, nous, vous, ils, elles** — there is another frequently used pronoun: **on.** This is the subject pronoun used to express the indefinite persons mentioned in the English sentences.

Compare the French and English in the following sentence. Then learn all the English equivalents:

Ici on étudie le français.   *Here* {
we study French.
you study French.
they study French.
people study French.
French is studied.
}

NOTES:

1. The verb used with **on** is always in the third person singular.

2. If the verb ends in a vowel, a **-t-** is inserted between the verb and the pronoun in the inverted form:

Parle-t-on français ici?   *Is French spoken here?*
A-t-on jamais assez de temps?   *Do we ever have enough time?*

EXERCICE A

Complétez les phrases avec les équivalents des mots entre parenthèses. Employez **on** *dans chaque réponse:*

EXEMPLE: (The noise is heard) _____ dans le village.
On entend le bruit dans le village.

1. (do you say) Comment _____ ce mot en anglais?

2. (The exercises are written) _____ au tableau.

3. (They think) _____ que le prisonnier est innocent.

4. (do we arrive) À quelle heure _____ à Carcassonne?

5. (Italian is spoken) _____ à Rome.

6. (Don't people eat) _____ trop de sucre en Amérique?

7. (we no longer have) Avec la télévision _____ le temps de lire.

8. (are they looking for) Qui _____?

9. (people dance) Le 14 juillet _____ dans la rue.

10. (Are dresses sold) _____ dans ce magasin?

11.2 Direct Object Pronouns

A pronoun may be the direct receiver of an action. We say, for example: Can you help *me?* The children visit *her* often. I will meet *you* at noon. In these sentences, *me, her,* and *you* are pronouns used as direct objects of the verbs.

Learn the direct object pronouns in the following French sentences. Note especially where each is placed in relation to the verb:

Il *me* choisit.	He chooses me.	Il *nous* choisit.	He chooses us.
Il *te* choisit.	He chooses you (fam.).	Il *vous* choisit.	He chooses you.
Il *le* choisit.	He chooses him (it).	Il *les* choisit.	He chooses them.
Il *la* choisit.	He chooses her (it).		

NOTES:

1. The direct object pronoun is placed directly before the verb of which it is the object:

Je *vous* aide.	I help you.
Je vais *vous* aider.	I'm going to help you.
Il ne *nous* aide pas.	He doesn't help us.
Les aide-t-il?	Is he helping them?
Ne *les* aide-t-elle pas?	Doesn't she help them?

2. The vowel of **me, te, le,** and **la** is dropped before a verb beginning with a vowel:

Nous *l'*aidons.	We help him. We help her.
*M'*aimez-vous?	Do you love me?
Je ne *t'*oublie jamais.	I never forget you.

3. The verbs **écouter** (*to listen to*), **regarder** (*to look at*), **chercher** (*to look for*), **attendre** (*to wait for*), and **demander** (*to ask for*) take a direct object in French:

Ne *les* regardez pas.	Don't look at them.
On *vous* attend.	They're waiting for you.

4. The direct object pronoun precedes **voici** and **voilà**:

— Je cherche la lune. — *La* voilà.	I'm looking for the moon.—There it is.
— Où es-tu, Paul? — *Me* voici.	"Where are you, Paul?" "Here I am."

11.3 Résumé

DIRECT OBJECT PRONOUNS			
me (m')	*me*	**nous**	*us*
te (t')	*you* (fam.)	**vous**	*you*
le (l')	*him, it*	**les**	*them*
la (l')	*her, it*		

■ EXERCICE B

Complétez la phrase avec le pronom indiqué:

EXEMPLE: (me) Il gronde.   Il **me** gronde.

1. (la) L'avocat défend.

_____

2. (nous) Voici.

_____

3. (te) N'invitent-ils pas au mariage?

_____

4. (me) Ne punissez pas.

_____

5. (le) Nous désirons oublier.

_____

6. (les) Ah! Voilà.

_____

7. (la) Tout le monde aime.

_____

8. (vous) Où va-t-on attendre?

_____

9. (me) Je pense que tu n'écoutes pas.

_____

10. (te) Pourquoi cherchent-elles?

_____

11.4 Indirect Object Pronouns

A pronoun may be the *indirect* receiver of an action. In English, the word *to*, occasionally *for*, is normally understood before the indirect object:

Show *me* (= to me) your guitar.   Do *me* (= for me) a favor.

Learn the following model sentences, each of which contains an indirect object pronoun:

Le garçon *me* donne l'addition.	*The waiter gives me the check.*
Le garçon *te* donne l'addition.	*The waiter gives you the check.*
Le garçon *lui* donne l'addition.	{ *The waiter gives him the check.* { *The waiter gives her the check.*
Le garçon *nous* donne l'addition.	*The waiter gives us the check.*
Le garçon *vous* donne l'addition.	*The waiter gives you the check.*
Le garçon *leur* donne l'addition.	*The waiter gives them the check.*

Which indirect object pronouns are the same as the direct? Which are different?

NOTES:

1. Like the direct object pronoun, the indirect object pronoun stands directly before the verb.

2. In the English equivalent, *to* is sometimes expressed:

Il me prête l'argent.	*He lends me the money. (He lends the money to me.)*
Quand allez-vous me parler?	*When are you going to speak to me?*

3. The verbs **répondre** (*to answer*) and **obéir** (*to obey*) take an indirect object in French:

Je *leur* réponds tout de suite.	*I answer them at once.*
Pourquoi ne *lui* obéissent-ils pas?	*Why don't they obey her?*

11.5 Résumé

INDIRECT OBJECT PRONOUNS			
me (m')	*me, to me*	**nous**	*us, to us*
te (t')	*you, to you* (fam.)	**vous**	*you, to you*
lui	*him, to him*	**leur**	*them, to them*
lui	*her, to her*		

EXERCICE C

Ajoutez l'équivalent des mots entre parenthèses:

EXEMPLE: (*to us*) Ils montrent leur générosité.
Ils nous montrent leur générosité.

1. (*to you*) Je rends ton dictionnaire.

_____

2. (*them*) Nous obéissons quand ils ont raison.

_____

3. (*to me*) N'apportez pas de cadeau.

_____

4. (*to us*) Quand allez-vous lire l'histoire?

_____

5. (*to her*) Je donne sa photo.

_____

6. (*to them*) On ne prête jamais rien.

_____

7. (*for you*) Si tu le désires, je vais écrire un poème.

_____

8. (*to me*) Tes yeux disent quelque chose.

_____

9. (*him*) Qui va répondre?

_____

10. (*to you*) Pourquoi ne parle-t-elle pas?

_____

> **VOCABULAIRE**
>
> le
> la $\Big\}$ **camarade**   *buddy, pal*
>
> **le facteur**   *postman, mailman*
>
> **l'addition** (f)   *check* (in restaurant)
>
> **le pourboire**   *tip*
>
> **le pull**   *pullover, sweater*
>
> **la lune**   *moon*
>
> **les lunettes** (f pl)   *eyeglasses*
>
> **quitter**   *to leave* (persons and places)
>
> **la rivière**   *stream, river*
>
> **poser une question**   *to ask a question*

EXERCICE D

Complétez avec le pronom convenable:

1. — Qu'est-ce que le client demande au garçon? — Il _____ demande l'addition.

2. — À qui la cliente donne-t-elle le pourboire? — Elle _____ donne au garçon.

3. — Tu m'entends, Lucien? — Oui, je _____ entends, maman.

4. — Où êtes-vous, mes amis? — _____ voici.

5. On pose des questions aux sénateurs? — Oui, on _____ pose beaucoup de questions.

6. — Va-t-on punir ce voleur? — Certainement, on va _____ punir.

7. — Quand allons-nous traverser la rivière? — Nous allons _____ traverser dans un quart d'heure.

8. Ces pulls sont en pure laine. Ne _____ lavez pas en machine.

9. — Qui me cherche? — C'est le facteur qui _____ cherche.

10. — Vous attendez le dentiste, monsieur? — Oui, je _____ attends.

11. — Où est la surprise? — _____ voilà.

12. — Qu'est-ce qu'on vous donne pour votre anniversaire? — On _____ donne une belle montre.

EXERCICE E

Remplacez les mots en caractères gras par le pronom convenable:

EXEMPLE: Nous étudions **la Constitution.** Nous l'étudions.

1. Ne laissez pas **vos lunettes** sur le piano.

_____

2. Denise répond poliment **à sa camarade.**

_____

3. N'as-tu pas **ton pull**?

_____

4. Est-ce qu'on n'invite pas **Mme Duval et son mari?**

_____

5. Je regarde **la pleine lune.**

_____

6. Elle donne l'addition **aux hommes.**

_____

7. Ils quittent **l'église** de bonne heure.

_____

8. N'entendez-vous pas **la rivière**?

_____

9. J'obéis **à l'agent**.

_____

10. Voici **votre pourboire**, monsieur.

_____

_____

■ EXERCICE F

_____

Donnez les équivalents français:

1. I'm listening to you.

_____

2. Are you listening to me?

_____

3. Why are they looking at him?

_____

4. She isn't looking at you (familiar).

_____

5. Who is waiting for us?

_____

6. Don't wait for me.

_____

7. We're answering her.

_____

8. Why don't you answer them?

_____

9. Here I am.

_____

10. There they are.

_____

11. I'm going to help you (familiar)

_____

12. Do people help her?

_____

13. Don't you obey them?

_____

14. Everybody obeys him.

_____

15. I'm not asking for it.

_____

16. Let's not count them.

_____

17. He asks us many questions.

_____

18. Who is doing it?

_____

19. I don't have them.

_____

20. Is someone speaking to me?

_____

_____

▉ EXERCICE G

_____

Répondez en français en remplaçant les noms en caractères gras par des pronoms:

EXEMPLE: Attendez-vous **l'éclipse**? Oui, je l'attends.

1. Tu vas m'aider, Henri?

_____

2. Est-ce que **Jeanne** téléphone souvent **à ses parents**?

_____

3. Vend-on déjà **les billets de cinéma**?

_____

4. À quelle heure allez-vous nous quitter?

_____

5. Où est-ce qu'on transporte **cet enfant malade**?

_____

6. Qu'est-ce que **le facteur** te donne?

_____

7. **Ses camarades** aiment bien **les sports?**

_____

8. Vous admirez **cette jolie lune** ce soir?

_____

9. Que prêtez-vous **à René?**

_____

10. **Les médecins** guérissent **sa maladie,** n'est-ce pas?

_____

Present Tense of pouvoir, vouloir, savoir

12.1 *pouvoir* and *vouloir*

Two important verbs have the same irregular pattern in the present tense: **pouvoir** (*to be able*) and **vouloir** (*to wish, want*):

PRESENT TENSE OF **pouvoir**		PRESENT TENSE OF **vouloir**	
Je peux le faire.	*I can do it.*	Je veux le faire.	*I want to do it.*
Tu peux le faire.	*You can do it.*	Tu veux le faire.	*You want to do it.*
Il peut le faire.	*He can do it.*	Il veut le faire.	*He wants to do it.*
Elle peut le faire.	*She can do it.*	Elle veut le faire.	*She wants to do it.*
Nous pouvons le faire.	*We can do it.*	Nous voulons le faire.	*We want to do it.*
Vous pouvez le faire.	*You can do it.*	Vous voulez le faire.	*You want to do it.*
Ils peuvent le faire.	*They can do it.*	Ils veulent le faire.	*They want to do it.*
Elles peuvent le faire.	*They can do it.*	Elles veulent le faire.	*They want to do it.*

Which two endings are different from those of regular verbs?
In which forms does **ou** change to **eu**?

NOTES:

1. The usual equivalent in English of the present tense of **pouvoir** is *can*.

2. The verb used after forms of **pouvoir** and **vouloir** is in the infinitive.

3. The expression **vouloir dire** is *to mean*:

Que veut dire ce mot?   *What does this word mean?*
Que voulez-vous dire?   *What do you mean?*

 EXERCICE A

Répétez la phrase en substituant les sujets indiqués:

Il ne peut pas travailler demain.

1. Nous _____

2. Tu _____

3. Ces étudiantes _____

4. Vous _____

5. Je _____

6. On _____

Tu veux poser des questions.

7. Ils _____

8. Nous _____

9. Tout le monde _____

10. Je _____

11. Vous _____

12. Mlle Martin _____

12.2 savoir

Another irregular verb that we use frequently is **savoir** (*to know*). Learn the present tense in the model sentences using **savoir un secret** (*to know a secret*):

Je sais un secret.   *Nous savons* un secret.
Tu sais un secret.   *Vous savez* un secret.
Il sait un secret.   *Ils savent* un secret.
Elle sait un secret.   *Elles savent* un secret.

NOTE: **Savoir** followed by an infinitive means *to know how:*

Savez-vous nager?   *Do you know how to swim?*
Il ne sait pas encore lire.   *He doesn't know how to read yet.*

▪ EXERCICE B

Répétez la phrase en substituant les sujets indiqués:

Je sais faire beaucoup de choses.

1. Mes cousines _____

2. Vous _____

3. Victor _____

4. Tu _____

5. Nous _____

Vous ne savez pas l'italien.

6. Tu _____

7. Son mari _____

8. Elles _____

9. Je _____

10. Nous _____

EXERCICE C

Mettez le sujet et le verbe au pluriel:

1. Quand peux-tu partir?

_____ partir?

2. Il ne veut jamais attendre.

_____ attendre.

3. Je ne sais pas votre nom.

_____ votre nom.

4. Elle peut le traduire vite.

_____ traduire vite.

5. Veux-tu du fromage?

_____ du fromage?

VOCABULAIRE					
le bijou	*jewel*	**fumer**	*to smoke*	**patiner**	*to skate*
le prix	*price, prize*	**gagner**	*to win, earn*	**raconter**	*to relate, tell*
coûter	*to cost*	**nager**	*to swin*	**traduire**	*to translate*

EXERCICE D

Donnez la forme convenable du verbe entre parenthèses:

1. (vouloir)   Quel disque _____-tu écouter maintenant?

    Elles _____ manger quelque chose parce qu'elles ont faim.

    Qu'est-ce qu'il _____ dire?

    Que _____-vous me raconter?

2. (savoir)   Hélène _____ bien patiner.

    Nous voulons _____ le prix de ce tableau.

    Ils ne _____ pas ce que (*what*) vous voulez dire.

    Je _____ que ce bijou coûte cher.

3. (pouvoir)   _____-tu revenir lundi matin?

    Est-ce que nous _____ emprunter quelques francs?

    Je ne _____ pas nager cet après-midi. J'ai mal à l'oreille.

    Marie _____ nous accompagner?

12.3 Résumé

pouvoir *to be able*	vouloir *to wish, want*	savoir *to know, know how*
je peux	je veux	je sais
tu peux	tu veux	tu sais
il peut	il veut	il sait
elle peut	elle veut	elle sait
nous pouvons	nous voulons	nous savons
vous pouvez	vous voulez	vous savez
ils peuvent	ils veulent	ils savent
elles peuvent	elles veulent	elles savent

 EXERCICE E

Donnez les résponses en imitant les exemples:

EXEMPLES: Jean regarde le thermomètre. Et toi et René?
Nous regardons le thermomètre.

Ils admirent sa patience. Et moi?
Vous admirez sa patience.

Elle ne veut plus fumer.

1. Et toi, Michel? _____

2. Et vous, messieurs? _____

Je sais ce que cela peut coûter.

3. Et la cliente? _____

4. Et moi? Vous _____

Elle peut traduire le passage.

5. Et les autres étudiants? _____

6. Et vous?   Nous _____

Tu sais bien parler français.

7. Et les garçons? _____

8. Et l'ambassadeur? _____

Je veux du parfum pour mon anniversaire.

9. Et votre tante? _____

10. Et ces dames? _____

_____

▨ EXERCICE F

_____

Complétez la deuxième phrase de chaque série:

1. Who can translate this letter?

   Qui _____ cette lettre?

2. I don't know which road crosses the stream.

   _____ quelle route traverse la rivière.

3. Do you want to borrow my sweater?

   _____ mon pull?

4. When can we begin?

   Quand _____?

5. Do they know the good news?

_____ la bonne nouvelle?

6. I don't want to leave you.

_____ vous quitter.

7. Aren't they able to help her?

_____ l'aider?

8. You know what you want, don't you?

Tu _____ ce que _____, n'est-ce pas?

9. What does that mean?

Qu'est-ce que cela _____?

10. No one knows how to open that box.

Personne ne _____ cette boîte.

Répondez par des phrases complètes:

1. Est-ce que je peux raconter une histoire aux enfants?

_____

2. Savez-vous s'il pleut?

_____

3. Que veut dire le mot «bijou» en anglais?

_____

4. Pouvons-nous patiner sur ce lac en hiver?

    Oui, vous _____
5. Que voulez-vous faire samedi?

    _____

6. Est-ce que je sais bien la géographie?

    Oui, vous _____
7. Pouvez-vous nous prêter quelques assiettes?

    _____

8. Qui veut me parler?

    Ces deux personnes _____
9. Votre sœur sait nager, n'est-ce pas?

    _____

10. Est-ce que leur cheval peut gagner le grand prix?

    _____

13 Object Pronouns with the Imperative; y and en

13.1 Object Pronouns with the Imperative

You know that personal object pronouns are placed directly before the verb. There is, however, one exception, illustrated in the following examples:

AFFIRMATIVE IMPERATIVE		NEGATIVE IMPERATIVE	
Attendez-moi.	*Wait for me.*	**Ne m'attendez pas.**	*Don't wait for me.*
Parle-moi.	*Speak to me.*	**Ne me parle pas.**	*Don't speak to me.*
Écoutez-la.	*Listen to her.*	**Ne l'écoutez pas.**	*Don't listen to her.*
Remplissez-les.	*Fill them.*	**Ne les remplissez pas.**	*Don't fill them.*
Répondons-lui.	*Let's answer him.*	**Ne lui répondons pas.**	*Let's not answer him.*

NOTES:

1. In an AFFIRMATIVE COMMAND (affirmative imperative), the object pronoun is placed directly after the verb and is linked to it by a hyphen. The pronoun **me** becomes **moi** after the verb.

2. In the NEGATIVE COMMAND (negative imperative), the object pronoun has its usual position, directly before the verb.

160

EXERCICE A

Mettez à la forme affirmative:

1. Ne lui donnez pas votre numéro de téléphone.

   _____

2. Ne les regarde pas maintenant.

   _____

3. Ne me cherchez pas à l'hôtel.

   _____

4. Ne la laissons pas en haut.

   _____

5. Ne nous apportez pas de parfum.

   _____

6. Ne le faites pas vite.

   _____

7. Ne me raconte pas ton histoire.

   _____

8. Ne leur prêtons pas nos livres.

   _____

9. Ne lui répondez pas.

   _____

10. Ne m'invitez pas à dîner avec vous.

   _____

Répétez chaque phrase en ajoutant l'équivalent français du pronom:

1. (them) N'oubliez jamais.

2. (us) Donne tes impressions.

3. (it) [f.] Coupons plus tard.

4. (to them) Montrez la photo.

5. (me) Écoutez bien.

6. (him) Demandez le prix de ce vin.

7. (us) Ne punissez pas.

8. (it) [m.] Ne lisons pas à haute voix.

9. (me) Dis pourquoi tu pleures.

10. (to her) Ne prêtez rien.

13.2 *y* and *en*

Two other important pronouns, **y** and **en**, are placed, like personal object pronouns, directly before the verb, except in the affirmative imperative. Let's see how they are used:

USES OF y

Vont-elles à l'hôtel?	*Are they going to the hotel?*
Oui, elles *y* vont.	*Yes, they are (going there).*
Allons à la poste. Allons-*y*.	*Let's go to the post office. Let's go there.*
Le poulet est sur la table?	*The chicken is on the table?*
Non, il n'*y* est pas.	*No, it's not (on it).*
Demeurent-ils encore en Angleterre?	*Are they still living in England?*
Non, ils n'*y* demeurent plus.	*No, they're not living there anymore.*
Réponds-tu à ses lettres?	*Do you answer his letters?*
Oui, j'*y* réponds toujours.	*Yes, I always do (answer them).*

Ils y arrivent en retard.

NOTES:

1. **Y** is used to refer to things or places already mentioned.

2. **Y** generally replaces **à** + noun but may also replace other prepositions of location (**dans, sur,** etc.) + noun.

3. The English equivalent of **y** is generally *there* or a preposition like *to, at, in,* or *on* followed by *it* or *them.* The equivalent, however, is often omitted in English.

4. The familiar imperative of all verbs used before **y** ends in **s**:

Va à l'école.	**Vas-y**
Monte au premier étage.	**Montes-y.**

 EXERCICE C

Répétez la phrase en remplaçant l'expression en caractères gras par y:

EXEMPLE: Je vais **à la maison.** J'y vais.

1. À quelle heure est-ce qu'on arrive **à Nice?**

_____

2. J'entends quelqu'un **à la porte.**

_____

3. Ne neige-t-il pas beaucoup **en Russie?**

_____

4. Va **à ta chambre,** Robert.

_____

5. Voulez-vous marcher **au Louvre** avec moi?

_____

6. Personne n'est **dans la salle de séjour.**

_____

7. Répondez **à mes questions,** s'il vous plaît.

_____

8. Ne laissez pas ces choses **sur la chaise.**

_____

9. Allons **en ville** ce soir.

_____

10. Montez tout de suite **sur le trottoir.**

_____

USES OF **en**

Avez-vous des questions?	_Have you any questions?_
Non, je n'_en_ ai pas.	_No, I haven't any._
Mange-t-il du chocolat?	_Does he eat (any) chocolate?_
Oui, il _en_ mange trop.	_Yes, he eats too much (of it)._
Y a-t-il assez de poulet?	_Is there enough chicken?_
Oui, prenez-_en._	_Yes, take some._
Combien de billets voulez-vous?	_How many tickets do you want?_
Nous _en_ voulons six.	_We want six (of them)._
Qui a besoin de papier?	_Who needs paper?_
Personne n'_en_ a besoin.	_No one needs any._
Viennent-ils de Bretagne?	_Do they come from Brittany?_
Oui, ils _en_ viennent.	_Yes, they do (come from there)._

NOTES:

1. The pronoun **en** replaces **de** + noun, and generally refers to things.

2. The usual English meanings are _some, any, of it, of them, from there._ The equivalent is often omitted in English, however.

3. With numbers, expressions of quantity, or other expressions with **de, en** must be used if the noun is omitted.

4. The familiar imperative of all verbs used before **en** ends in **s:**

Mange du pain.   Manges-en.

Object Pronouns with the Imperative; y and en   **165**

N'en cassez pas!

VOCABULAIRE			
casser	*to break*	**le légume**	*vegetable*
le bois	*wood*	**la lumière**	*light*
le doigt	*finger*	**le poulet**	*chicken*
l'état (m)	*state*	**le toit**	*roof*
l'hôtel (m)	*hotel*	**le trottoir**	*sidewalk*

 EXERCICE D

Répétez la phrase en remplaçant l'expression en caractères gras par **en**:

1. Cassez-vous souvent **des verres**?

2. Demandez **du pain** au garçon.

3. J'ai dix **doigts**.

4. Voici **de l'eau fraîche**.

5. N'ont-ils pas assez **de bois sec**?

6. Jean-Paul raconte **des anecdotes**.

7. Cherchons **de belle soie**.

8. Nos voisins reviennent demain **d'Europe**.

9. N'achetez pas **de chaussures** dans ce magasin.

10. As-tu besoin **d'argent**?

▮ EXERCICE E

Remplacez les mots en caractères gras par le pronom convenable:

1. Nous demeurons **aux États-Unis**.

2. Donnez **du fromage** à Marie.

_____

3. Donnez du fromage **à Marie**.

_____

4. Ne cassez pas **ces œufs**.

_____

5. On regarde une lumière extraordinaire **dans le ciel**.

_____

6. Mange **ce poulet** avec ta fourchette, pas avec tes doigts.

_____

7. Que pensez-vous **de ces articles de sport?**

_____

8. Au printemps il ne fait pas chaud **en Espagne**.

_____

9. Ne veulent-ils pas **de légumes**?

_____

10. Qu'est-ce qu'on bâtit **sous le toit**?

_____

11. Choisissons **cette belle couleur** pour la salle à manger.

_____

12. Va **au Jardin des Tuileries** cet après-midi.

_____

13. Pauline n'écrit pas beaucoup **de lettres**.

_____

14. Que dit-il **aux agents**?

_____

15. Est-ce que Sylvie et Gérard préfèrent danser **dans cette discothèque?**

_____

_____

◼ EXERCICE F

_____

Répondez aux questions par des phrases complètes. Employez **y ou** en:

1. Quand pouvons-nous aller à la plage?

_____

2. Mangez-vous des légumes tous les jours?

_____

3. Qui a besoin de ce bois?

_____

4. Les nouvelles feuilles sont-elles déjà sur les arbres?

_____

5. A-t-on assez de lumière pour lire?

_____

6. Ce train va à Marseille?

_____

7. Qui attend sur le trottoir?

_____

8. Est-ce que le président parle souvent de l'état de l'économie?

_____

9. Ce médecin vient de la ville?

_____

10. M. Lacombe cultive-t-il toutes sortes de légumes dans son jardin?

_____

11. As-tu plusieurs clefs?

_____

12. Est-ce que quelqu'un travaille sur le toit?

_____

_____

![] EXERCICE G

_____

Dites en français:

1. Do you need money? I have some.

_____

2. Do you have enough?

_____

3. Here are some eggs. We have too many.

_____

4. Don't they have any?

_____

5. How many glasses do they have? They have twenty.

_____

6. Give some to Joan.

_____

7. This car is very expensive. Does she need it?

_____

8. That store? I never go there.

_____

9. That's the new museum. Let's go there today.

_____

10. We go in there often.

_____

11. They're waiting there for their friends.

_____

12. I'm almost ready. Wait for me, please.

_____

13. Louise is talking to you. Answer her.

_____

14. The telephone is ringing. Don't answer it.

_____

15. What beautiful plates! Let's not break any.

_____

14 *Synonyms and Antonyms*

One helpful way to increase your vocabulary in French is to learn related words. Two important classes of related words are synonyms and antonyms.

14.1 Synonyms

Synonyms are words with similar meanings. They help avoid the monotony of repetition and lend variety to language. In past lessons, you have learned a number of such synonyms:

le chemin, la route	*road*
habiter, demeurer	*to live, dwell*
heureux, content	*happy, pleased*
immédiatement, tout de suite	*immediately, at once*
triste, malheureux	*sad, unhappy*
vouloir, désirer	*to wish, want*

Here are some more synonyms to add to your growing vocabulary:

certain, sûr	*certain, sure*
finir, terminer	*to finish*
le médecin, le docteur	*doctor*
le palais, le château	*palace, castle*
vite, rapidement	*quickly*

Un palais est une belle résidence.

 EXERCICE A

Choisissez dans chaque groupe les deux mots qui sont équivalents ou presque équivalents:

1. parfait   content   poli   heureux
2. vide   rapidement   vite   activement
3. voulons   savons   rencontrons   désirons
4. lourd   laid   triste   malheureux
5. finir   vivre   guérir   terminer
6. chemise   route   chemin   promenade
7. sûr   certain   oui   sous
8. tout de suite immédiatement bientôt   tout à coup
9. couteau   palais   plage   château
10. demeurent   vendent   deviennent   habitent

14.2 Antonyms

Another way to increase your vocabulary is to relate words to their opposites or antonyms. Since they are opposite in meaning, antonyms are often used in contrasts. By now, you should know many antonyms in French. Test your recall in the following exercises.

 EXERCICE B

Choisissez l'antonyme du mot en caractères gras:

1. **faible**	petit	gros	fort
2. **répondre**	vivre	demander	dire
3. **campagne**	ville	bois	ferme
4. **mal**	plus	mieux	bien
5. **commencer**	réussir	finir	bâtir
6. **bas**	fier	gentil	haut
7. **sur**	sous	alors	partout
8. **entrer**	marcher	sortir	venir
9. **paresseux**	actif	fatigué	célèbre
10. **près**	malgré	presque	loin

 EXERCICE C

Donnez le contraire du mot en caractères gras:

1. Yvette aime **l'hiver**. _____

2. Nous allons **acheter** de l'or. _____

3. Asseyez-vous **ici**. _____

4. Fait-il trop **chaud** dans cette salle? _____

5. C'est le **premier** jour du mois. _____

6. Je ne peux pas nager si **vite**. _____

7. Voulez-vous **descendre** maintenant? _____

8. Ce monsieur n'est pas **vieux**. _____

9. Tout à coup, on **ouvre** la porte. _____

10. Il part **avec** ses amis. _____

11. Est-il déjà **midi**? _____

12. Elle dit que ces choses sont **lourdes**. _____

![square] **EXERCICE D**

Complétez les phrases en donnant les contraires des mots en caractères gras:

1. — Vous êtes **riche**?   — Non, mais je ne suis pas _____.

2. La **question** est plus facile que la _____.

3. — Tu vas bien aujourd'hui?   — **Plus** ou _____.

4. Quel mauvais temps! Il pleut **jour** et _____.

5. Préférez-vous **jouer** ou _____?

6. Est-ce qu'on dîne généralement **avant** ou _____ six heures?

7. Bernard patine **peu**, mais il danse _____.

8. — Vous dites **quelque chose**? Non, je ne dis _____.

Synonyms and Antonyms   **175**

9. — Votre voiture est **nouvelle**?   — Au contraire, elle est _____.

10. Est-ce que l'hôtel est **devant** ou _____ l'église?

14.3

Study the following additional antonyms. Then check your mastery in the exercises that follow:

d'abord	*at first*	**enfin**	*finally, at last*
absent	*absent*	**présent**	*present*
accepter	*to accept*	**refuser**	*to refuse*
l'ami (m)	*friend*	**l'ennemi** (m)	*enemy*
le bruit	*noise*	**le silence**	*silence*
cher, chère	*dear, expensive*	**bon marché**	*cheap*
le commencement	*beginning*	**la fin**	*end*
debout	*standing*	**assis(e)**	*sitting, seated*
donner	*to give*	**prendre**	*to take*
droit	*right*	**gauche**	*left*
la guerre	*war*	**la paix**	*peace*
le nord	*north*	**le sud**	*south*
l'ouest (m)	*west*	**l'est** (m)	*east*
le plancher	*floor*	**le plafond**	*ceiling*
pour	*for*	**contre**	*against*
propre	*clean*	**sale**	*dirty*
le roi	*king*	**la reine**	*queen*
la terre	*land, earth*	{ **la mer** *sea* / **le ciel** *sky, heaven*	
utile	*useful*	**inutile**	*useless*
la vie	*life*	**la mort**	*death*
vrai	*true*	**faux, fausse**	*false*

NOTE:

Debout and **bon marché** are invariable (have only one form):

Il est *debout*.	*He is standing.*
Elle est *debout*.	*She is standing.*
Le thé est *bon marché*.	*The tea is cheap.*
La viande est *bon marché*.	*The meat is cheap.*

Elle est assise, mais il est debout.

■ **EXERCICE E**

Écrivez la lettre du contraire après chaque mot de la première colonne:

1. fin _____

2. paix _____

3. ciel _____

4. beau _____

5. enfin _____

6. sale _____

7. gagner _____

8. est _____

9. plancher _____

10. vie _____

a. plafond

b. ouest

c. propre

d. mort

e. commencement

f. trouver

g. guerre

h. laid

i. terre

j. d'abord

k. blanc

l. perdre

EXERCICE F

Choisissez le mot ou l'expression qui complète le mieux la phrase:

1. La Terre tourne autour (de la Lune, du Soleil).
2. Il y a de l'eau (dans toutes les mers, sous tous les ponts).
3. — Entendez-vous quelqu'un? — Non, je n'entends (une personne, personne).
4. On peut marcher sur un (plafond, plancher).
5. Une chose qui est contraire à la vérité est (fausse, douce).
6. Quand il fait beau, (le ciel, la terre) est bleu(e).
7. — Êtes-vous certain que ce robot parle? — Mais oui, j'en suis (sûr, sur).
8. J'ai peu d'argent sur moi. Cherchons un restaurant (sale, bon marché).
9. La guerre est un combat contre des (amis, ennemis).
10. Le roi et la reine habitent (une place, un palais) magnifique.

EXERCICE G

Complétez chaque phrase avec l'antonyme du mot en caractères gras:

1. Une étudiante qui n'est pas **présente** est _____.

2. **Prenez** cette assiette-ci et _____-moi l'autre.

3. Vas-tu voter **pour** ou _____ la proposition?

4. Ces tapis ne sont pas **chers**; ils sont _____.

5. — Tu **acceptes** cette montre d'or? — Non, je la _____.

6. M. Fouchet est **debout,** mais sa femme est _____.

7. Êtes-vous mon **ami** ou mon _____.

8. Ce vent vient du **sud,** pas du _____.

9. Micheline étudie du **matin** au _____.

10. Mon œil **gauche** est meilleur que mon œil _____.

◼ EXERCICE H

Dites en français:

1. true or false _____

2. the north and south _____

3. with or without _____

4. short or long _____

5. the floor and ceiling _____

6. life or death _____

7. for or against _____

8. cheap or expensive _____

9. happy or sad _____

10. strong or weak _____

Répondez aux questions par des phrases complètes:

1. Écrivez-vous de la main droite ou de la main gauche?

2. Quel animal est «le roi des animaux», le lion ou l'éléphant?

3. Aimez-vous mieux les bruits de la rue ou le silence de la nuit?

4. Est-ce que la France est dans l'est ou dans l'ouest de l'Europe?

5. Quel cadeau est préférable, un cadeau utile ou un cadeau inutile?

15 Present Tense of mettre, prendre, voir

Three verbs with irregular forms that occur frequently in conversation are **mettre** (*to put, put on*), **prendre** (*to take*), and **voir** (*to see*).

15.1 mettre

The verb **mettre** means both *to put* and *to put on* (clothing, jewelry, etc.):

Elle *met* les timbres dans le tiroir.	*She puts the stamps in the drawer.*
Je *mets* mon nouveau chapeau.	*I put on my new hat.*

PRESENT TENSE

Je *mets* les bouteilles sur la table.	Nous *mettons* les bouteilles sur la table.
Tu *mets* les bouteilles sur la table.	Vous *mettez* les bouteilles sur la table.
Il *met* les bouteilles sur la table.	Ils *mettent* les bouteilles sur la table.
Elle *met* les bouteilles sur la table.	Elles *mettent* les bouteilles sur la table.

IMPERATIVE

Mets les bouteilles sur la table.
Mettez les bouteilles sur la table.
Mettons les bouteilles sur la table.

Which forms of **mettre** do not follow the pattern of regular **-re** verbs, singular or plural? What is the irregularity?

181

■ EXERCICE A

Donnez les réponses:

EXEMPLE: Thomas met la voiture au garage? **Oui, il la met au garage.**

1. Et vous, madame? Oui, je ————————————————————————————.

2. Et vous deux? Oui, nous ——————————————————————————.

3. Et moi? Oui, tu ——————————————————————————.

4. Et les voisins? Non, ils ——————————————————————————.

5. Et nous? Oui, vous ——————————————————————————.

Nous mettons nos lunettes.

6. Et M. Garin? ——————————————————————————.

7. Et nous? Vous ——————————————————————————.

8. Et les professeurs? ——————————————————————————.

9. Et moi? Non, ——————————————————————————.

10. Et vous, Nanette? ——————————————————————————.

15.2 prendre

The sentences below are based on the expression **prendre un taxi** (*to take a taxi*):

PRESENT TENSE	
Je *prends* un taxi.	Nous *prenons* un taxi.
Tu *prends* un taxi.	Vous *prenez* un taxi.
Il *prend* un taxi.	Ils *prennent* un taxi.
Elle *prend* un taxi.	Elles *prennent* un taxi.

IMPERATIVE

Prends un taxi.
Prenez un taxi.
Prenons un taxi.

Which forms of **prendre** are irregular, singular or plural?

NOTE:

Conjugated like **prendre** are **apprendre** (*to learn*), **comprendre** (*to understand*), and **suprendre** (*to surprise*).

EXERCICE B

Répétez la phrase en substituant les sujets indiqués:

Tu ne prends pas ce train.

1. Nous _____

2. On _____

3. Je _____

Apprend-il la musique?

4. vous _____

5. Le frère et la sœur _____

6. tu _____

   Je comprends la lecture.

7. Nous _____

8. Tout le monde _____

9. Les élèves _____

   Tu me surprends.

10. Vous _____

11. Les avocats _____

12. Rien _____

15.3 voir

Study the following sentences with the present tense of **voir quelque chose** (*to see something*):

Je *vois* quelque chose.	Nous *voyons* quelque chose.
Tu *vois* quelque chose.	Vous *voyez* quelque chose.
Il *voit* quelque chose.	Ils *voient* quelque chose.
Elle *voit* quelque chose.	Elles *voient* quelque chose.

IMPERATIVE

Vois quelque chose.
Voyez quelque chose.
Voyons quelque chose.

EXERCICE C

Répétez la phrase en substituant les sujets indiqués:

Nous ne voyons rien.

1. Tu _____.

2. Nicole et René _____.

3. Je _____.

4. Vous _____.

5. Mlle Aubert _____.

VOCABULAIRE			
le cœur	*heart*	**l'île** (f)	*island*
apprendre par cœur	*to memorize*	**la lecture**	*reading*
le fauteuil	*armchair*	**le lit**	*bed*
la glace	*ice, ice cream*	**le timbre**	*stamp*
comme	*as, like*	**rester**	*to remain, stay*

EXERCICE D

Complétez les phrases en donnant la forme convenable du verbe:

1. (mettre)   Je _____ un timbre sur l'enveloppe.

2. (apprendre)   Elles _____ la chanson par cœur.

3. (voir)   Ne restez pas devant nous. Nous ne _____ rien.

4. (prendre)   Comme dessert, je _____ une glace au chocolat.

5. (mettre)   Le pilote _____ son parachute.

6. (comprendre) _____-tu mon problème?

7. (voir)   On _____ à distance une station-service.

8. (mettre)   — Vous _____ la petite au lit? — Oui, elle est très fatiguée.

9. (prendre)   Ne restez pas debout, madame. _____ ce fauteuil confortable.

10. (voir)   Ils _____ bien qu'ils ont tort.

11. (mettre)   Quand l'eau n'est pas assez fraîche, nous _____ un peu de glace dans les verres.

12. (surprendre) Son succès _____ tout le monde.

◼ EXERCICE E

Complétez chaque phrase avec la forme convenable du verbe en caractères gras:

1. Qu'est-ce que tu **vois**, Alice? Je _____ une belle lampe près du lit.

   Et nous pouvons _____ la télévision.

2. Comme nos amis, nous **apprenons** à patiner. _____-tu à patiner?

   Non, mais j'_____ à nager.

3. Où **met**-on ce lit? Pouvons-nous le _____ dans cette chambre-ci?

Non, _____-le dans la chambre à droite.

4. Combien de timbres **prenez**-vous? Nous en _____ une douzaine et

nos amis en _____ vingt.

5. Que **mets**-tu dans la salade? J'y _____ des tomates. Nous n'y _____
jamais de sel.

▪ EXERCICE F

Complétez les phrases avec les équivalents des mots entre parenthèses:

1. (take)   Est-ce que vous me _____ pour un imbécile?

2. (Let's see) _____ les avantages de cette méthode.

3. (Are you putting on) _____ ta nouvelle paire de chaussures?

4. (Don't they understand) _____ ce qu'il veut dire?

5. (do you see)   Que _____ sur le toit?

6. (Let's not put anything) _____ dans ce sac.

7. (Is he learning) _____ des techniques modernes?

8. (Don't you see) _____ cette petite île au milieu du fleuve?

9. (put)   Peut-on _____ un verre à mes lunettes?

10. (Let's memorize) _____ ce beau poème.

Si vous ne pouvez pas voir, mettez vos lunettes.

15.4 Résumé

mettre *to put, put on*	**prendre** *to take*	**voir** *to see*
je mets	je prends	je vois
tu mets	tu prends	tu vois
il met	il prend	il voit
elle met	elle prend	elle voit
nous mettons	nous prenons	nous voyons
vous mettez	vous prenez	vous voyez
ils mettent	ils prennent	ils voient
elles mettent	elles prennent	elles voient

The imperatives of all three verbs are regular.

EXERCICE G

Répondez aux questions en français:

1. Est-ce qu'on comprend l'anglais partout dans le monde?

   _____

2. En quelle saison mets-tu des vêtements légers?

   _____

3. Voulez-vous voir un match de football avec nous?

   _____

4. Quelle langue étrangère apprenez-vous cette année?

   _____

5. Qu'est-ce que je vois dans le ciel, une étoile ou une planète?

   Vous _____

6. Quand prend-elle un parapluie?

   _____

7. Est-ce que je vois un bon film ce soir à la télévision?

   Oui, tu y _____

8. Qu'est-ce que vous apprenez par cœur?

   Nous _____

9. Dans quelle salle mettent-ils le fauteuil?

   _____

10. En quel mois vont-elles prendre leurs vacances?

   _____

RÉVISION 3

A. Listening Comprehension

Your teacher will read aloud a question or statement and will then repeat it. After the second reading, circle the letter of the best suggested response:

1. a. Un peu de glace.
   b. Mon pull de laine.
   c. De jolis timbres.
   d. Une lecture intéressante.

2. a. Prenez ce parapluie.
   b. Voici du bois.
   c. Vous avez un couteau.
   d. Je vais la remplir.

3. a. Seulement des fruits.
   b. L'addition, s'il vous plaît.
   c. Un peu d'herbe.
   d. Un bon parfum.

4. a. Ne me demandez pas la lune.
   b. Peut-on l'écouter?
   c. Bon, je vais le manger.
   d. J'aime bien ses yeux.

5. a. Partout.
   b. Longtemps.
   c. Peut-être.
   d. Bientôt.

6. a. Non, un peu plus de sucre.
   b. On dit qu'il a beaucoup d'ennemis.
   c. Non, on ne peut rien voir.
   d. Oui, c'est la vie!

7. a. Des oiseaux, probablement.
   b. C'est le plafond.
   c. Un hôtel moderne.
   d. C'est une île déserte.

8. a. À demain matin.
   b. À midi.
   c. À bientôt.
   d. À jeudi.

9. a. Ne la cassez pas.
   b. Elle aime mieux la France.
   c. J'en suis très heureux.
   d. C'est à cause du voleur.

10. a. Un étage.
    b. Deux pieds.
    c. De la viande.
    d. Un belle plage.

B. *Vrai ou faux?*

1. Les routes de montagne sont souvent dangereuses en hiver.   _____

2. Tout le monde aime voyager en avion. _____

3. Les meilleurs étudiants préfèrent arriver en retard à l'école. _____

4. Dans la rue, on marche sur le trottoir. _____

5. Pour aller de New York à Chicago, on peut prendre le métro. _____

6. Chaque doigt a cinq mains. _____

7. À sept heures du matin, on voit le soleil à l'est. _____

8. Un fauteuil a des bras. _____

9. Généralement on reste debout dans un train. _____

10. Les personnes paresseuses réussissent plus souvent que les autres. _____

C. *Donnez le mot convenable pour compléter la phrase:*

1. Voilà David. Rendez-_____ son cahier.

2. On prend un taxi ou on y va _____ pied?

3. Combien de robes achète-t-elle? Elle _____ achète trois.

4. La Lune est un satellite de la _____.

5. Le chien de Jocelyne _____ obéit presque toujours.

6. On bâtit l'église _____ vite que possible.

7. Sont-elles encore au Canada? Oui, elles _____ sont encore.

8. Je n'ai pas le temps de vous parler maintenant. Pouvez-vous me rappeler plus

_____?

9. L'autobus y arrive _____ l'heure.

10. Thomas voit mieux quand il porte ses _____.

11. Vous n'acceptez pas l'invitation? Nous la _____ aussi.

12. De tous ces camarades, Roger patine _____ mieux.

D. *Écrivez la lettre de la définition après le mot convenable:*

1. ensemble _____
2. pluie _____
3. reine _____
4. paix _____
5. agent _____
6. sale _____
7. voleur _____
8. lecture _____
9. pourboire _____
10. facteur _____

a. femme du roi
b. personne qui nous apporte des lettres
c. l'un avec l'autre
d. action de lire
e. qui n'est pas propre
f. eau qui tombe du ciel
g. employé attaché à la police d'une ville
h. argent qu'on laisse au restaurant pour le garçon
i. état d'un pays qui n'est pas en guerre
j. personne qui prend par force les choses d'une autre personne

E. *Complétez la phrase en employant une expression avec le mot indiqué:*

1. (suite)   Je vais le traduire _____.

2. (cause) Nous sommes malheureux _____ sa maladie.

3. (plus) Cette lampe coûte _____ deux cents francs.

4. (monde) Est-ce que _____ est présent maintenant?

5. (haute) Elle leur lit la carte postale _____.

6. (marché) Cette montre est chère ou _____?

7. (coup) _____, on entend la cloche qui sonne.

8. (cœur) Nous apprenons la musique _____.

9. (plus) De toutes ces femmes, Béatrice est _____ charmante.

10. (besoin) Vous avez du lait? Non, nous _____.

F. *Tell someone in French*

1. to help you.

_____

2. not to leave you.

_____

3. to get up, please.

_____

4. not to ask you any questions.

_____

5. that you see something interesting.

_____

6. that you are going to buy a dozen handkerchiefs.

_____

7. that you don't know anything about it.

_____

8. that they win the prize easily.

_____

9. that they haven't any.

_____

10. that we (people) don't smoke here.

_____

G. *Ask a French acquaintance*

1. if she knows how to swim.

_____

2. if she is sure of it.

_____

3. to sit down near us.

_____

4. who is looking for you.

_____

5. when she is going to write to them.

_____

6. if they are returning in spite of the weather.

_____

7. if she can translate the sentence.

_____

8. where she lives, upstairs or downstairs.

_____

9. what that word means.

_____

10. if she's going to surprise her friends.

_____

H. *In each of the following pictures, someone is making a comment. Match the picture with the words expressed, using the letters indicated:*

a. Oui, il est très lourd.
b. Je cherche les bijoux.
c. La mer est si belle!
d. Merci, j'en ai assez.
e. Regardez mes poissons.
f. Me voici, sur le toit.
g. Je les porte quand je lis.

h. Ce plafond est très bas.
i. Ce couteau n'est pas propre.
j. Personne ne l'écoute.
k. J'aime les fauteuils.
l. L'addition, s'il vous plaît.
m. Tu as les billets?
n. Nous allons la surprendre.

_____ **1.**

_____ **2.**

_____ **3.**

_____ **4.**

_____ 5.

_____ 6.

_____ 7.

_____ 8.

_____ 9.

_____ 10.

_____ 11.

_____ 12.

_____ 13.

_____ 14.

I. *The* Rond-Point *Puzzle*

A **rond-point** is a traffic circle. In Paris, where there are a number of **ronds-points,** the most famous is at the **Place Charles de Gaulle.** Here twelve avenues, including the **Champs-Élysées,** radiate in all directions from the **Arc de Triomphe.**

In the **rond-point** puzzle below, each of the missing words is on a one way street, indicated by the arrows. They either begin or end with the letter R. Can you discover the words hidden in the eight directions? Here are the clues:

1. Mettre en morceaux.
2. Contraire de **arriver.**
3. Nos vacances vont nous _____ très cher cette année.
4. Si vous travaillez bien, vous pouvez _____ beaucoup d'argent.
5. — Est-ce qu'il accepte le cadeau? — Oui, il ne _____ jamais rien.
6. — L'avion arrive à l'heure? — Non, il est en _____.
7. Au _____, Henri, à demain.
8. Toi, aussi, tu fais des fautes. Tu n'as pas toujours _____.

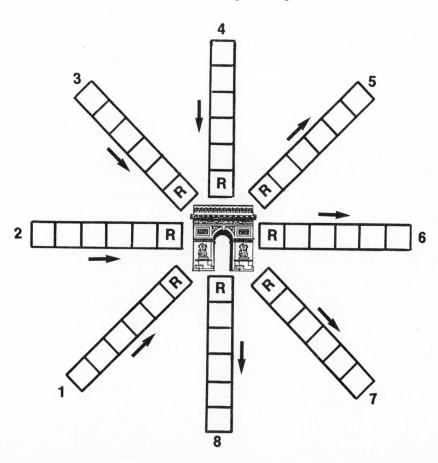

J. Dialog Completion

Identify yourself with Philippe in the dialog and give all of his responses:

Philippe, qui va au cinéma ce soir, invite son ami Denis à l'accompagner.

1. Denis: Où vas-tu ce soir, Philippe?

   Philippe: _____

2. Denis: On dit que le film est très intéressant. C'est un film d'aventure.

   Philippe: _____

3. Denis: Oui, avec plaisir. Merci de l'invitation.

   Philippe: _____

4. Denis: À quelle heure veux-tu arriver au cinéma?

   Philippe: _____

5. Denis: Combien de temps ce film dure-t-il?

   Philippe: _____

K. Reading Comprehension

Read carefully each of the following passages. Guess the meaning of new words from their use in the passages and from recognizable English cognates. Then complete the exercises that follow:

1. Dans une petite ville du sud de la France, visitée en hiver par beaucoup d'étrangers, il y a une inscription sur la porte de l'hôtel: «Ici on parle anglais, allemand, russe, italien, espagnol.»

   Un jour, un Allemand entre et demande l'interprète. «Nous n'avons pas d'interprète» dit le garçon. «Mais alors qui parle les langues mentionnées sur la porte?» «Les voyageurs, monsieur,» répond le garçon.

   Répondez par des phrases complètes:

   a. Où est ce voyageur?

b. Quelles sortes de personnes visitent cette ville? En quelle saison?

_____

c. Combien de langues étrangères parle-t-on dans cet hôtel?

_____

d. Qui est-ce que le voyageur veut voir?

_____

e. Qui parle toutes les langues?

_____

2. Quand on regarde la carte des États-Unis, on voit beaucoup de noms d'origine française. Voici, par exemple, quelques-uns de ces noms géographiques: Baton Rouge, Bayonne, Butte, Champlain, Des Moines, Detroit, Louisiana, New Orleans, New Rochelle, St. Louis, Terre Haute, Vermont. Ces noms indiquent l'influence de l'exploration française du Nouveau Monde. Cette exploration, qui commence peu de temps après la découverte de Christophe Colomb, continue longtemps.

En 1524, le navigateur Verrazano, qui représente le roi de France, visite les côtes (_coasts_) de l'Amérique du Nord et une partie du Canada, qu'il appelle la «Nouvelle-France». Jacques Cartier entre dans le golfe du Saint-Laurent et plus tard prend possession de la vallée du fleuve jusqu'à (_as far as_) Montréal. Samuel de Champlain, qui fait plusieurs visites au Nouveau Monde, fonde (_founds_) la ville de Québec en 1608. Il explore la région nord de New York et découvre le lac Champlain. Il réussit à établir des relations amicales avec les Indiens.

Des missionaires jésuites aussi viennent avec les explorateurs. Ils établissent des missions dans la région des Grands Lacs. Joliet et le père Marquette cherchent et découvrent le Mississippi. En 1682 La Salle explore la vallée du Mississippi jusqu'au golfe du Mexique. En l'honneur du roi de France, Louis XIV, il donne le nom de Louisiane à cette région.

Complétez les phrases:

a. Trois noms géographiques d'origine française sont _____,

_____ et _____.

b. Un grand lac de l'état de New York qui porte le nom d'un explorateur

français est le lac _____.

c. On appelle _____, qui prend possession de la vallée du
Saint-Laurent, le «découvreur du Canada».

d. En 1682 _____ explore le Mississippi jusqu'au golfe du
Mexique.

e. Champlain fonde la ville canadienne de _____ en 1608.

f. Le missionaire qui contribue avec Joliet à l'exploration française est le père

_____.

g. La Salle nomme la vallée du Mississippi «Louisiane» en l'honneur du

_____ de France.

h. Les _____ Lacs forment une frontière entre le Canada
et les États-Unis.

3. Nous savons que l'agriculture est la culture de la terre. Mais qu'est-ce que c'est que l'aquiculture? C'est l'art d'élever (*to raise, to breed*) les animaux et les plantes aquatiques, c'est-à-dire, les animaux et les plantes des mers, des lacs, des fleuves, des rivières. L'industrie de l'aquiculture occupe une place importante dans l'économie du Canada, qui est un des principaux producteurs de poisson au monde.

Ce succès considérable est attribuable à la qualité des installations et aux diverses techniques. Les gouvernements des provinces canadiennes et le gouvernement fédéral aident l'industrie et encouragent son développement commercial. Ils voient que la collaboration est une nécessité. Après tout, cette industrie rapporte beaucoup de millions de dollars en revenus annuels. Le développement de l'aquiculture au Canada progresse dans toutes les régions.

La truite (*trout*) est un des produits les plus importants. On observe aussi une augmentation (*increase*) substantielle de l'élevage du saumon (*salmon*).

Dans les laboratoires et dans les universités, il y a de nouveaux programmes d'expérimentation. Il y a, par exemple, des projets-pilotes pour l'élevage d'espèces (*kinds*) variées. On réussit aussi à inventer de nouvelles technologies pour accélérer le développement de certaines espèces et pour produire des poissons plus gros. Tout le monde sait que le poisson est une source excellente des protéines.

Écrivez après la première partie de chaque phrase de la colonne A la lettre de la conclusion de la colonne B:

A

1. L'aquiculture est l'élevage _____

2. L'industrie aquicole joue un rôle important _____

3. Le poisson est une bonne source _____

4. Les laboratoires et les universités inventent _____

5. L'industrie travaille avec _____

6. On trouve de nouvelles techniques _____

7. Quelques poissons importants de cette industrie sont _____

8. L'aspect commercial de l'activité aquicole est _____

9. On veut diversifier _____

10. L'industrie continue à faire _____

B

a. de nouvelles méthodes de production.
b. bien développé.
c. des progrès remarquables.
d. dans l'économie du Canada.
e. des protéines.
f. la truite et le saumon.
g. pour accélérer la production des produits aquatiques.
h. les espèces de produits.
i. des animaux et des plantes aquatiques.
j. les gouvernements provinciaux et le gouvernement fédéral.

4. ANTOINE: C'est vrai que tu vas en Europe l'été prochain (*next*)?
   JANINE: Oui, je vais en France. Mes parents et moi, nous allons faire le tour de la France en voiture.

ANTOINE: Pourquoi allez-vous voyager en auto? Moi, je préfère le train. Si on prend le train, il y a moins de problèmes.

JANINE: Oui, mais on voit mieux le pays quand on a une voiture. On est plus libre. Nous visitons tous les endroits (*places*) intéressants, les petits villages, les grandes villes, les plages et les montagnes. Nous pouvons aller partout et voir des regions qu'on ne voit pas en train.

ANTOINE: Tu as raison. On a plus de temps pour parler aux habitants de la campagne et à d'autres Français qu'on recontre.

JANINE: Nous désirons visiter plus que Paris. Nous voulons voir la diversité que la France offre aux visiteurs. Mais notre voyage commence et finit dans la capitale.

ANTOINE: Tu vas prendre beaucoup de photos, comme toujours?

JANINE: Mais oui! C'est un des plaisirs de nos voyages. Et quand nous prenons des photos de monuments ou de scènes pittoresques, il y a toujours des personnes dans les photos. Après tout, les personnes sont plus intéressantes que les monuments, n'est-ce pas?

Complétez les phrases:

a. Janine pense qu'un voyage en _____ n'offre pas assez de variété.

b. Il est vrai qu'on peut avoir plus de problèmes quand on voyage en

_____, mais on a aussi plus de liberté.

c. La famille de Janine aime visiter non seulement les villes mais aussi la

_____.

d. Généralement, quand des touristes vont en France, leur visite commence

dans la ville de _____.

e. Quand Janine photographie, elle est sûre d'avoir des _____ dans ses photos.

5. La Louisiane de 1800 est une colonie française, une vaste région quatre fois plus grande que la France. Il y a un grand nombre de plantations où les fermiers cultivent le tabac, le coton et le riz. La plus grande ville, la Nouvelle-Orléans, a de belles rues et des maisons splendides.

Mais Thomas Jefferson, président des États-Unis, pense que deux nations énergiques et voisines, comme la France et les États-Unis, ne peuvent pas rester longtemps amies. Pour cette raison, il envoie James Monroe en France pour négocier l'achat de la Louisiane.

Monroe est agréablement surpris quand Napoléon décide de vendre ce territoire. L'empereur lui déclare que les Anglais ont pris (*taken*) à la France ses plus belles colonies et qu'ils ne vont pas avoir la Louisiane. Il dit qu'il préfère la vendre aux États-Unis pour gagner leur amitié et pour donner à l'Angleterre un pays maritime rival.

Answer in English:

a. How large was the Louisiana territory?

_____

b. What crops were raised there?

_____

c. What made New Orleans special?

_____

d. Why did Jefferson send Monroe to France?

_____

e. What reasons did Napoleon give for his decision?

_____

16 Spelling Changes in -er Verbs

Pronunciation may cause spelling changes in the forms of some **-er** verbs. Changes occur in certain forms to keep the pronunciation consistent with the other forms. These forms occur in verbs with infinitives ending in **-cer** and **-ger**.

16.1 Infinitives Ending in *-cer*

You know that the letter **c** in French has two different sounds: before **e** and **i**, it is soft (**cent, ici**); otherwise it is hard (**cadeau, content, cuisine, client**). The verb **commencer,** with both sounds of **c,** illustrates this point. Since the **c** before the ending is soft, some spelling change is needed before the ending **-ons** to retain the soft **c** sound. Here is the solution:

Je *commence* la lecture.　　　Nous *commençons* la lecture.

NOTES:

1. Verbs ending in **-cer** change **c** to **ç** before **-ons.** The cedilla, used only before the vowels **a, o,** and **u,** softens the **c.** In what other words have you found a cedilla that softens the **c**?

2. Other verbs in **-cer** are: **effacer** (*to erase*) and **prononcer** (*to pronounce*).

206

Commençons. Tout le monde est là.

16.2 Infinitives Ending in *-ger*

The letter **g** in French also has two pronunciations: the soft sound before **e** and **i** (**gentil**) and the hard sound in other combinations (**gant, gris**). To keep the **g** soft in verbs like **manger,** some spelling change has to take place before the ending **-ons.**

Je *mange* **du pain.**   **Nous** *mangeons* **du pain.**

NOTES:

1. Verbs ending in **-ger** insert mute **e** before **-ons** to retain the soft **g** sound.

2. Other verbs in **-ger** include **corriger** (*to correct*), **nager** (*to swim*), and **voyager** (*to travel*).

 EXERCICE A

Test your ability to distinguish the two sounds of c and g. Lisez à haute voix:

1. cela	6. voici	11. cœur	16. français
2. gâteau	7. glace	12. large	17. page
3. cuisine	8. cahier	13. cinq	18. crayon
4. leçon	9. guérir	14. gros	19. vacances
5. général	10. garçon	15. combien	20. accepter

EXERCICE B

Donnez la forme convenable du verbe entre parenthèses:

1. (effacer)   Le professeur _____ toutes les fautes.

2. (effacer)   Nous ne les _____ pas.

3. (nager)   Savez-vous nager? Oui, nous _____ assez bien.

4. (nager)   En effet, tous mes amis _____ bien.

5. (prononcer)   Parlez à la classe et _____ clairement, s'il vous plaît.

6. (manger)   Qu'est-ce que tu _____, Lucienne?

7. (manger)   _____ notre dessert et partons.

8. (corriger)   _____ tes phrases, Jean.

9. (corriger)   Bien, je vais les _____.

10. (commencer) Nous sommes tous prêts maintenant. _____ à travailler!

16.3   Verbs with Mute *e* in Stem

A different type of spelling change occurs in verbs where two mute syllables would meet. Let us take, as an example, the verb **acheter**, with a mute **e** in the stem. (The stem is the verb element without the endings: **acheter**.) Since five of the six forms of the present tense have mute endings, pronunciation would be a problem. Here is how French solves it:

J'ach**è**te des timbres.	Nous achetons des timbres.
Tu ach**è**tes des timbres.	Vous achetez des timbres.
Il ach**è**te des timbres.	Ils ach**è**tent des timbres.
Elle ach**è**te des timbres.	Elles ach**è**tent des timbres.

IMPERATIVES: **ach**è**te   achetons   achetez**

Ils achètent un grand sac de pommes de terre.

NOTES:

1. Verbs with mute **e** in the stem change mute **e** to **è** when the verb ending is **mute**. Thus **è** occurs in the forms that end in **-e, -es,** and **-ent.**

2. Another verb with mute **e** in the stem is **lever** (*to raise, lift*):

Levez le bras.	*Lift your arm.*
Elle *lève* les yeux.	*She raises her eyes.*

16.4 appeler

The verb **appeler** treats the mute **e** differently:

J'appe*lle* le docteur.	Nous appelons le docteur.
Tu appe*lles* le docteur.	Vous appelez le docteur.
Il appe*lle* le docteur.	Ils appe*llent* le docteur.
Elle appe*lle* le docteur.	Elles appe*llent* le docteur.

IMPERATIVES: **appelle   appelons   appelez**

NOTE:

The verb **appeler** doubles the consonant instead of adding a grave accent. What expressions have you learned with **appeler**?

le (la) concierge	*(building) caretaker, superintendent*	**le meuble**	*piece of furniture*
le peintre	*painter*	**les meubles**	*furniture*
la machine à écrire	*typewriter*	**la pomme de terre**	*potato*
la machine à laver	*washing machine*	**le rideau**	*curtain*
le paquet	*package*	**la santé**	*health*

 EXERCICE C

Donnez les réponses en imitant le modèle:

J'achète des pommes de terre.

1. Et vous? Nous _____

2. Et Mme Grévin? _____

3. Et moi? Tu _____

   Elle appelle la concierge.

4. Et nous? Vous _____

5. Et les autres habitants? _____

6. Et moi? Tu _____

7. Et vous? Nous _____

   Nous ne levons pas le meuble.

8. Et Daniel et Guy? _____

9. Et le concierge? _____

10. Et Anne et moi? Vous _____

Donnez la forme convenable de l'impératif:

1. (acheter: nous) _____ cette machine à laver.

2. (effacer: vous) _____ le tableau.

3. (nager: nous) Il fait si beau. _____ dans le lac.

4. (lever: tu) _____ la tête, Renée.

5. (prononcer: nous) _____ ensemble le vocabulaire.

6. (acheter: tu) N'_____ pas de pommes de terre.
Nous en avons assez.

7. (lever: vous) _____ cette machine à écrire, monsieur.

8. (appeler: tu) _____ Antoine. Le dîner est prêt.

9. (lever: nous) _____ notre verre à la santé de notre ami Marcel.

10. (appeler: vous) _____-moi de bonne heure demain matin.

 EXERCICE E

Répétez la phrase en substituant la forme convenable du verbe entre parenthèses:

1. Nous **avons** des pommes de terre délicieuses ce soir.   (manger)

2. Comment **explique**-t-on le nom de cette rue?   (prononcer)

_____

3. Je **ferme** la fenêtre parce qu'il fait du vent.   (lever)

_____

4. Nous **apprenons** à chanter la Marseillaise.   (commencer)

_____

5. Tu es en bonne santé parce que tu **marches** beaucoup.   (nager)

_____

6. M. et Mme Vidal **cherchent** des meubles et de jolis rideaux pour leur salle de séjour.   (acheter)

_____

7. Comment **prépare**-t-on ce poisson?   (appeler)

_____

8. Nous **écrivons** les exercices au crayon.   (corriger)

_____

9. Le peintre **vend** le portrait.   (lever)

_____

10. Les touristes ne **sont** pas debout dans le train.   (voyager)

_____

EXERCICE F

Substitution graduelle. This challenging exercise begins with a French sentence. Complete each of the following sentences, substituting the new word or words given and using as much of the preceding sentence as possible:

EXAMPLE: **Elle aime la paix.**

     Nous ____.   Nous aimons la paix.

     N'____-tu pas ____? N'aimes-tu pas la paix?

     ____ l'été?   N'aimes-tu pas l'été?

J'achète deux paquets de mouchoirs.

1. Vous _____.

2. Mes cousins _____.

3. Qui _____ cette machine à laver?

4. _____ ne levons pas _____.

5. Tu _____ la main?

Elle prononce leur nom.

6. Je _____.

7. Nous _____.

8. _____ effaces _____.

9. Ils _____.

10. Corrigez-_____?

11. Nous ne _____ rien.

12. _____ mangent _____.

13. Quand _____-nous?

14. _____ commences-tu à _____?

15. _____-nous _____?

16.5 Résumé

PRESENT TENSE			
je commence	je mange	j' achète	j' appelle
tu commences	tu manges	tu achètes	tu appelles
il commence	il mange	il achète	il appelle
elle commence	elle mange	elle achète	elle appelle
nous commençons	nous mangeons	nous achetons	nous appelons
vous commencez	vous mangez	vous achetez	vous appelez
ils commencent	ils mangent	ils achètent	ils appellent
elles commencent	elles mangent	elles achètent	elles appellent

IMPERATIVE			
commence	mange	achète	appelle
commencez	mangez	achetez	appelez
commençons	mangeons	achetons	appelons

 ## EXERCICE G

Répondez aux questions en employant les mots entre parenthèses dans vos réponses:

1. Qui corrige les devoirs?   (Mlle Durand)

2. Quand commençons-nous ce travail?   (vous)

3. Qui appelez-vous, monsieur?   (le peintre)

4. Nagez-vous souvent sous l'eau?   (nous)

5. Est-ce que tu effaces les mots corrects?   (les mots incorrects)

_____

6. Qui lève le rideau?   (nous)

_____

7. Voyagez-vous toujours ensemble?   (non)

_____

8. Qu'est-ce que tu achètes à la pharmacie?   (un paquet de coton)

_____

9. Mangeons-nous à la maison ou au restaurant ce soir?   (vous)

_____

10. Prononcez-vous bien le français?   (nous)

_____

17 Relative and Interrogative Pronouns

17.1 Relative Pronouns

Pronouns that relate to a noun previously mentioned are called relative pronouns. Here are some examples: the pedestrian *who* is crossing the street; the actress *whom* we met; the popcorn *that* I bought; the new computer, *which* I prefer.

The relative pronoun is often omitted in English. We may also say: the actress we met; the popcorn I bought.

Like other pronouns, the relative pronoun may be used as subject or object of a verb.

17.2 Relative Pronouns as Subject of Verb

L'enfant *qui* pleure est son fils.	*The child who is crying is her son.*
Est-ce le téléphone *qui* sonne?	*Is that the telephone that is ringing?*
Prenez la balle de tennis *qui* est sur la table.	*Take the tennis ball that is on the table.*
Mon appartement, *qui* est petit, est très moderne.	*My apartment, which is small, is very modern.*

NOTES:

1. The relative pronoun used as subject in French, referring to any previous noun, is **qui** (*who, that, which*).

2. Since **qui** is used as subject, it is followed by a verb.

3. The **i** of **qui** is never dropped.

17.3 Relative Pronouns as Direct Object of Verb

C'est la femme *que* **nous recontrons souvent au marché.** *She's the woman we often meet at the market.*

La fête *qu'***il aime le mieux c'est Pâques.** *The holiday he likes best is Easter.*

NOTES:

1. The relative pronoun used as direct object of a verb is **que** (*whom, that, which*). It refers back to any previous noun.

2. The **e** of **que** is dropped before a word beginning with a vowel.

3. Although the relative pronoun may not be expressed in English, it is always expressed in French.

■ EXERCICE A

Donnez le pronom relatif convenable:

1. Où va tout l'argent _____ ils gagnent?

2. Il prend la route _____ monte et descend.

3. C'est une question embarrassante _____ vous me posez.

4. Voyez-vous cette dame _____ est assise dans le fauteuil?

5. Voici le parfum _____ tu cherches.

6. Monet est le peintre _____ elles préfèrent.

7. C'est un travail _____ demande beaucoup de patience.

8. Comment trouvez-vous le chapeau _____ je porte?

9. Écoutez cet oiseau _____ parle!

10. Comment s'appelle ce pont _____ traverse la Seine?

17.4 Interrogative Pronouns

Interrogative pronouns introduce questions. They may be used as subject or object of a verb. In English, we ask:

Who is calling Henry? (subject)   *Whom* is he calling? (object)
What is making that noise? (subject)   *What* are they making? (object)

Let's see how French expresses these questions:

a. ***Qui* appelle Henri?**   *Who is calling Henry?*
   ***Qui* appelle-t-il?**   *Whom is he calling?*

   NOTE: The interrogative pronoun **qui** (*who, whom*) is used for persons as both subject and direct object of a verb.

b. ***Qu'est-ce qui* fait ce bruit?**   *What is making that noise?*

   Que font-ils?
   Qu'est-ce qu'ils font?   }   *What are they making?*

   NOTE: The interrogative pronouns equivalent to *what* are:

        qu'est-ce qui as subject of a verb
        que (qu') with inverted word order
        qu'est-ce que (qu') with regular word order   }   as object of a verb.

VOCABULAIRE			
le coin	*corner*	**la note**	*mark*
la gare	*railroad station*	**la pierre**	*stone*
l'image (f)	*picture*	**Pâques**	*Easter*
le marché	*market*	**voler**	*to fly; to steal*

Qu'est-ce qui est dans la bouteille que vous portez?

■ EXERCICE B

Donnez le pronom interrogatif convenable:

1. _____ veut prendre le dernier morceau de chocolat?

2. _____ tu écris sur cette feuille de papier?

3. _____ met-on sur l'enveloppe?

4. _____ est dans ce tiroir?

5. _____ il y a dans le coin de la chambre?

6. _____ avez-vous?

7. _____ arrive le premier, Vincent ou vous?

8. _____ tu m'achètes pour Pâques?

9. _____ veut m'accompagner à la gare?

10. _____ est le plus rapide, le métro ou le bus?

17.5 Résumé

RELATIVE PRONOUNS		
PRONOUN	MEANING	USE
qui que (qu')	*who, that, which* *whom, that, which*	subject of verb direct object of verb
INTERROGATIVE PRONOUNS		
qui?	*who?* *whom?*	subject of verb direct object of verb } for persons
qu'est-ce qui?	*what?*	subject of verb for things
que (qu')? (with inverted word order) qu'est-ce que (qu')?	*what?*	direct object of verb for things

 EXERCICE C

Joignez les deux phrases en employant un pronom relatif:

EXEMPLE: Aimez-vous les rideaux? Ils couvrent cette fenêtre.
Aimez-vous les rideaux qui couvrent cette fenêtre?

1. Le petit François regarde les images. Elles sont dans son livre.

_____

2. Quel est cet insecte? Il vole autour de la lumière.

_____

3. Est-ce le piano ou la flûte? Vous l'étudiez.

_____

4. Nous allons au café. Le café est au coin de la rue.

_____

5. C'est la fin de l'année scolaire. Ils l'attendent.

_____

6. Jeanne choisit des verres de lunettes. Ils ne cassent pas.

_____

7. Ce pain est très frais. Nous le mangeons.

_____

8. Est-ce une voix d'homme ou de femme? On l'entend.

_____

9. Voilà le monsieur. C'est le nouveau champion de ski.

_____

10. Quel est ce bruit dans le moteur? J'entends le bruit.

_____

EXERCICE D

Donnez la question pour chacune des réponses en remplaçant l'expression en caractères gras par un pronom interrogatif:

EXEMPLE: Nous voyons **les pierres.** Que voyez-vous?

1. **Un de mes amis** a la clef de ma voiture.

2. Je vole **un morceau de gâteau.**

3. **Le mauvais temps** cause une situation sérieuse.

4. Nous voyons **les Duval** à la gare.

5. Claire montre fièrement à sa mère **sa note en mathématiques.**

6. **Le Président de la République** va parler à la télévision ce soir.

7. Nous pouvons voir **le marché aux fleurs** de nos fenêtres.

8. Il y a **un petit mur de pierre** autour de leur maison.

9. On trouve **beaucoup de feuilles sèches** sur l'herbe.

10. Ils appellent toujours **la concierge.**

_____

11. **Le palais** n'est pas loin de la ville.

_____

12. Son petit frère aime regarder **les images.**

_____

■ EXERCICE E

_____

Donnez les équivalents français:

1. Who is looking for me?

_____

2. Whom are you looking for?

_____

3. Here is the color (that) I choose.

_____

4. What is in the corner?

_____

5. Do you see the man who is standing?

_____

6. What is he saying?

_____

7. Who are you?

_____

8. Where is the house they're selling?

_____

9. What is flying?

_____

10. Whom is he scolding?

_____

11. Take the chair that is behind the desk.

_____

12. Who has the best mark in the class?

_____

13. What do you mean?

_____

14. Miss Lambert is a person (whom) we admire.

_____

15. What do you want to tell me?

_____

18 Reflexive Verbs

A reflexive verb is one whose object is the same person or thing as the subject, that is, the subject performing the action also receives it: *I wash myself, we enjoy ourselves.*

Can you recall any French expressions of this kind that you have already learned? Here are some examples to refresh your memory:

Comment vous appelez-vous?   **Je m'appelle Renée.**
Asseyez-vous.   **Levez-vous.**

Study the present tense and imperative of **se laver**, (*to wash [oneself], to get washed*):

18.1

PRESENT TENSE	
AFFIRMATIVE	INTERROGATIVE
Je *me* lave.	Est-ce que je *me* lave?
Tu *te* laves.	*Te* laves-tu?
Il *se* lave.	*Se* lave-t-il?
Elle *se* lave.	*Se* lave-t-elle?
Nous *nous* lavons.	*Nous* lavons-nous?
Vous *vous* lavez.	*Vous* lavez-vous?
Ils *se* lavent.	*Se* lavent-ils?
Elles *se* lavent.	*Se* lavent-elles?

PRESENT TENSE	
NEGATIVE	NEGATIVE INTERROGATIVE
Je ne *me* lave pas.	Est-ce que je ne *me* lave pas?
Tu ne *te* laves pas.	Ne *te* laves-tu pas?
Il ne *se* lave pas.	Ne *se* lave-t-il pas?
Elle ne *se* lave pas.	Ne *se* lave-t-elle pas?
Nous ne *nous* lavons pas.	Ne *nous* lavons-nous pas?
Vous ne *vous* lavez pas.	Ne *vous* lavez-vous pas?
Ils ne *se* lavent pas.	Ne *se* lavent-ils pas?
Elles ne *se* lavent pas.	Ne *se* lavent-elles pas?

IMPERATIVE	
AFFIRMATIVE	NEGATIVE
Lave-*toi*.	Ne *te* lave pas.
Lavez-*vous*.	Ne *vous* lavez pas.
Lavons-*nous*.	Ne *nous* lavons pas.

NOTES:

1. You have already learned all the reflexive object pronouns except **se** (*oneself, himself, herself, themselves*), used for the third person, both singular and plural.

2. The reflexive pronouns **me, te, se, nous,** and **vous,** like other object pronouns, normally precede the verb.

3. In the affirmative imperative, reflexive pronouns follow the verb and are connected to it with a hyphen. After the verb, **toi** is used instead of **te.**

4. **Me, te,** and **se** become **m', t',** and **s'** before a verb beginning with a vowel or silent **h: elle s'appelle, ils s'habillent.**

5. A verb that is reflexive in French is not necessarily reflexive in English:

Je me couche tard.	*I go to bed late.*
Il s'appelle Guy.	*His name is Guy.*
Amusez-vous bien!	*Have a good time!*

18.2 Common Reflexive Verbs

s'amuser	*to enjoy oneself, have a good time*
s'appeler	*to be called*
se coucher	*to lie down, go to bed; to set* (the sun)
se dépêcher	*to hurry*
s'habiller	*to dress (oneself), get dressed*
se laver	*to wash (oneself), get washed*
se lever	*to get up, rise*
se réveiller	*to wake up*

Il ne se dépêche jamais. Il se lève tard dans l'après-midi.

 EXERCICE A

Donnez une phrase équivalente avec un verbe réfléchi:

1. Très fatigué, je vais au lit.

---

2. Son nom est Pauline.

_____

3. D'ordinaire, ils ouvrent les yeux vers sept heures.

_____

4. Nous mettons nos vêtements.

_____

5. Il ne sort pas du lit avant huit heures.

_____

6. Allons plus vite pour y arriver à l'heure.

_____

VOCABULAIRE			
le maire	_mayor_	**le matin**	_in the morning_
le soldat	_soldier_	**le soir**	_in the evening_
le bain	_bath_	**vers**	_toward; about_ (with time)
la salle de bains	_bathroom_	**Que . . . !**	_How . . . !_

▪ EXERCICE B

Substitution graduelle:

EXEMPLE: Je me couche.

    _____couchons.   Nous nous chouchons.
    _____dépêchez.   Vous vous dépêchez.
    Tu _____.   Tu te dépêches.

Mon père se lève de bonne heure.

1. Les soldats _____ .

2. _____ -tu _____ ?

3. _____ -vous _____ ?

4. Je ne _____ pas _____ .

5. Nous _____ .

Je m'amuse à chanter.

6. Tout le monde _____ .

7. Nous _____ .

8. _____ -tu _____ ?

9. Ne _____ pas _____ ?

10. _____ -elles _____ ?

■ **EXERCICE C**

Complétez chaque phrase avec la forme convenable du verbe en caractères gras:

1. Elle **s'appelle** Germaine. Comment _____ -ils? Nous

   _____ Dupont.

2. Se **dépêchent**-ils? Pourquoi _____ -vous? Je ne peux pas

   _____ .

3. Je **me lave** avant chaque repas. _____ -tu avant de dîner?

Nous _____ toujours avant les repas.

4. Tu **t'amuses** à l'école? Mais oui, je _____ à l'école. Tous les

élèves _____ à l'école.

5. On **se réveille** tard. Pourquoi _____-tu si tard? Nous ne

_____ jamais tard.

EXERCICE D

Dites à un petit enfant de

1. se coucher tout de suite.

_____

2. ne pas se laver dans la cuisine.

_____

3. se réveiller immédiatement.

_____

Dites à M. Hubert de

4. se réveiller tout de suite.

_____

5. s'amuser au concert.

_____

■ EXERCICE E

Répétez la phrase en substituant les verbes entre parenthèses:

1. Commençons maintenant.   (s'amuser, se laver)

_____

_____

2. À quelle heure partez-vous?   (se coucher, se réveiller)

_____

_____

3. Comment vont-elles?   (s'amuser, s'appeler)

_____

_____

4. N'attends pas.   (se lever, se dépêcher)

_____

5. Je descends vite.   (s'habiller, se laver)

_____

_____

■ EXERCICE F

Donnez la forme convenable du verbe entre parenthèses:

1. (se lever)   Si l'avion est à neuf heures, je vais _____
                  vers six heures.

2. (se laver)   Que tu es sale! Va _____!

3. (s'habiller)   Comment est-ce qu'on _____
quand il fait chaud?

4. (se dépêcher)   Nous _____ pour arriver à la
gare.

5. (se lever)   Le soleil _____ à l'est.

6. (se coucher)   Que le soleil est beau le soir, quand il _____!

7. (s'amuser)   M. Lejeune ne _____ jamais
à l'opéra.

8. (s'appeler)   Comment _____-tu, mon enfant?

9. (s'habiller)   _____, dépêche-toi, ou tu vas
être en retard.

10. (se réveiller)   _____, Jean, s'il vous plaît.
Nous sommes à la page 85.

■ EXERCICE G

Formez des phrases au présent avec les sujets indiqués:

1. se coucher de bonne heure   (l'élève; nous)

_____

_____

2. pourquoi s'habiller si vite?   (tu; les soldats)

_____

_____

3. se dépêcher parce qu'il neige   (le maire; les fermiers)

_____

_____

4. où pouvoir se laver?   (je; elles)

_____

_____

5. ne pas s'amuser tout le temps   (nous; on)

_____

_____

_____

EXERCICE H

_____

Répondez par des phrases complètes:

1. Vous réveillez-vous le matin ou le soir?

_____

2. Dans quelle salle est-ce qu'on se lave?

_____

3. Comment s'appelle le maire de votre ville (village)?

_____

4. À quelle heure du matin te lèves-tu pour aller à l'école?

_____

5. Est-ce que le soleil se couche plus tard en été ou en hiver?

_____

_____

■ EXERCICE I

_____

Donnez les équivalents français:

1. Don't get up.

_____

2. Let's get up.

_____

3. Don't go to bed too late.

_____

4. Let's wake up.

_____

5. When are you going to wake up?

_____

6. Are they getting dressed?

_____

7. Everyone is getting dressed.

_____

8. I'm hurrying.

_____

9. Let's not hurry.

_____

10. My name is Lewis.

_____

19

Pronouns after Prepositions

You have learned the personal pronouns used with verbs, both as subject and as object. In this lesson, we will study pronouns used after prepositions, when the verb is not expressed, for emphasis and contrast, and in compound subjects. In English we say, for example:

> Please come with *me*. (after a preposition)
> I'm taller than *you*. (*are* is omitted)

> What does *he* know? (emphasis)
> *She* and *I* depend on it. (compound subject)

19.1 Pronouns after Prepositions

Learn the pronouns, often called *stress pronouns* (**pronoms accentués**), used after the preposition **pour** in the following sentences:

Il le fait pour *moi*.	*He does it for me.*
Il le fait pour *toi*. (familiar)	*He does it for you.*
Il le fait pour *lui*.	*He does it for him.*
Il le fait pour *elle*.	*He does it for her.*
Il le fait pour *nous*.	*He does it for us.*
Il le fait pour *vous*.	*He does it for you.*
Il le fait pour *eux*. (m)	*He does it for them.*
Il le fait pour *elles*. (f)	*He does it for them.*

236

Do you remember the prepositions you have learned thus far? Here is a list:

après	avec	de	devant	près de	sous	vers
avant	contre	derrière	pour	sans	sur	

Other common prepositions are:

entre *between, among*

L'enfant est assis entre Édith et *moi*.	*The child is sitting between Edith and me.*
Vous êtes entre amis.	*You are among friends.*

chez *at (to, in) the home of, the residence of*

NOTE: **Chez** is followed by a personal noun or pronoun:

Quand allez-vous *chez le dentiste?*	*When are you going to the dentist?*
Je vais *chez mon grand-père*.	*I'm going to my grandfather's (house).*
Venez *chez moi* demain.	*Come to my house tomorrow.*
Il va *chez lui*.	*He's going home.*
Nous restons *chez nous*.	*We stay home.*

Stress pronouns also occur after the following verbal expressions with the preposition **à**: **être à** (*to belong to*) and **penser à** (*to think of*).

Cette montre d'or est à *elle*.	*That gold watch belongs to her (is hers).*
Pensez-vous jamais à *moi*?	*Do you ever think of me?*

VOCABULAIRE

l'acteur (m)	*actor*	**le dictionnaire**	*dictionary*
l'actrice (f)	*actress*	**l'or** (m)	*gold*
le bonbon	*piece of candy*	**bien sûr**	*of course, certainly*

EXERCICE A

Donnez le pronom convenable:

1. — Ces bonbons sont pour moi? — Non, ils ne sont pas pour _____ (familiar).

2. Nous voulons appeler notre cousin, mais il n'est pas encore chez _____.

3. On attend les deux sœurs. On ne veut pas commencer sans _____.

4. — Tu vas chez toi maintenant? — Non, je ne vais pas chez _____.

5. — Pensez-vous encore à Marie? — Bien sûr, je pense souvent à _____.

6. — Est-ce Jean-Pierre qui est assis entre toi et Marc? — Non, Georges est assis

entre _____.

7. — Ce dictionnaire est à toi, Cécile? — Non, il n'est pas à _____.

8. — Qui parle avec les acteurs et les actrices? — Les visiteurs parlent avec _____

9. — Préférez-vous vous lever demain matin avant nous ou après nous? — Avant

_____.

10. Ah, mon enfant, tu as toute la vie devant _____.

19.2 Stress Pronouns Used without Verb

— **Qui veut poser une question? —** *Moi.*   *"Who wants to ask a question?" "I (do)."*
Personne ne danse mieux que *toi.*   *No one dances better than you.*

▮ EXERCICE B

Joignez les deux phrases pour former une comparaison:

EXEMPLE: Nous sommes heureux. Jean est plus heureux.
　　　　　Jean est plus heureux que nous.

1. Tu es fort. Ton frère n'est pas plus fort.

---

2. Elles sont jeunes. Leurs amies sont moins jeunes.

_____

3. Nous marchons vite. Marchent-ils plus vite?

_____

4. Je descends lentement. Lucie descend aussi lentement.

_____

5. Il est riche. Ses voisins sont moins riches.

_____

6. Ils sont fatigués. Êtes-vous plus fatigué?

_____

7. Tu manges peu. Elle mange moins.

_____

8. Je suis attentif. Qui est plus attentif?

_____

9. Elle est jolie. Sa fille, Adrienne, est aussi jolie.

_____

10. Vous écrivez bien. Philippe écrit mieux.

_____

■ EXERCICE C

_____

Donnez les équivalents français des réponses aux questions:

1. *We (are).*   Qui va gagner le prix?   _____

2. *He (does).*   Qui a besoin de moi?   _____

3. *I (don't).*   Qui ne voit pas la planète?   _____

4. *She (is).*   Qui m'appelle?   _____

5. *They* (m) *(do).*   Qui défend la Constitution?   _____

19.3   Stress Pronouns Used for Emphasis and Contrast

Stress pronouns are also used for emphasis and contrast:

> **Moi, je ne fume pas.**   I *don't smoke.*
> **Et *elle*, qu'est-ce qu'elle peut faire?**   *And what can* SHE *do?*

19.4   Stress Pronouns Used in a Compound Subject

> ***Elle et moi*, nous sommes amis.**   *She and I are friends.*
> ***Lui et Richard* vont en ville.**   *He and Richard are going into town.*

▪ EXERCICE D

Donnez la forme accentuée du pronom:

1. _____, tu es une personne très capable.

2. _____, j'aime bien les sports.

3. Et _____, qu'est-ce qu'ils cherchent?

4. Et _____, où allons-nous maintenant?

5. Je pense qu'il a raison, _____, et que _____, tu as tort.

EXERCICE E

Complétez les phrases en français:

1. (You and she) _____, vous chantez bien ensemble.

2. (them) Voici un télégramme pour _____.

3. (him) Je le rencontre tous les jours, _____.

4. (you) Bien sûr, personne n'est plus fier que _____.

5. (between us) Il y a un mur _____.

6. (I do) Qui désire un bonbon?—_____.

7. (home) Les actrices vont _____.

8. (he) Es-tu aussi intelligent que _____?

9. (her) Quand le petit voit sa mère, il marche vite vers _____.

10. (you) Chère Louise, je pense souvent à _____.

11. (She and he) _____, ils ont les cheveux longs.

12. (me) Asseyez-vous près de _____.

19.4 Résumé

PRONOMS ACCENTUÉS	
moi *I, me*	**nous** *we, us*
toi *you* (fam)	**vous** *you*
lui *he, him*	**eux** *they, them* (m)
elle *she, her*	**elles** *they, them* (f)

■ EXERCICE F

Donnez les équivalents français:

1. Choose between us.

2. We travel together, she and I.

3. Do these gloves belong to you?

4. I'm going to take a walk with him.

5. He and his wife are at home.

■ EXERCICE G

Répondez par des phrases complètes. Employez une forme accentuée du pronom dans chaque réponse:

1. Es-tu ici à cause de moi?

2. Est-ce que ce bracelet d'or est à Mlle Chamard?

3. Y a-t-il des lettres pour nous?

_____

4. Qui est debout devant ces dames?

_____

5. Est-ce que Nicolas nage mieux que Joseph?

_____

6. Pense-t-il souvent à ses camarades?

_____

7. À quelle heure voulez-vous aller chez vous, mesdames?

_____

8. Tu apprends à penser en français, toi?

_____

9. Êtes-vous plus forts que nous en mathématiques?

_____

10. Aimes-tu les scènes de violence, toi?

_____

20 Passé Composé of Regular Verbs

You have learned to express actions that take place in the present. But how does French express what has occurred in the past? Let's see how we distinguish a past from a present action in English:

PRESENT		PAST	
He speaks	He answers.	He spoke.	He answered.
He is speaking.	He is answering.	He has spoken.	He has answered.
Does he speak?	Does he answer?	Did he speak?	Did he answer?

20.1 Passé Composé

In English, we have three ways of expressing a completed action in the past. In French, the tense that is the equivalent of all three is the **passé composé**. The **passé composé** resembles the English forms *has spoken* and *has answered*. Since this tense form has two parts, it is called **composé** (*compound*).

The word *spoken* or *answered*, the part of the verb used after *has* or *have*, is the past participle. Can you give the past participle of each of the following verbs?

1. walk _____   3. sing _____

2. eat _____   4. go _____

5. choose _____ 8. sink _____

6. build _____ 9. see _____

7. have _____ 10. be _____

Below are examples of the **passé composé** of each of the three types of regular verbs:

chanter *to sing*	répondre *to answer*	réussir *to succeed*
I sang, I have sung	*I answered, I have answered*	*I succeeded, I have succeeded*
J'ai chanté. Tu as chanté. Il a chanté. Elle a chanté. Nous avons chanté. Vous avez chanté. Ils ont chanté. Elles ont chanté.	J'ai répondu. Tu as répondu. Il a répondu. Elle a répondu. Nous avons répondu. Vous avez répondu. Ils ont répondu. Elles ont répondu.	J'ai réussi. Tu as réussi. Il a réussi. Elle a réussi. Nous avons réussi. Vous avez réussi. Ils ont réussi. Elles ont réussi.

NOTES:

1. The **passé composé** is formed by combining the present tense of **avoir** and the past participle of the verb.

2. The endings of past participles of regular verbs are:

      é for **-er** verbs   **chanté**
      u for **-re** verbs   **répondu**
      i for **-ir** verbs   **réussi**

 EXERCICE A

Donnez le participe passé pour compléter la phrase:

1. (entendre)   Tout à coup, on a _____ une explosion.

2. (regarder)   J'ai _____ dans le tiroir de mon bureau.

3. (finir)   L'étudiante a _____ le livre en trois heures.

4. (passer)   Nous avons _____ un week-end très agréable chez nos cousins.

5. (attendre)   Pourquoi ont-ils _____ le dernier moment pour partir?

6. (demander)   Qu'est-ce que vous avez _____ pour votre anniversaire?

7. (bâtir)   Savez-vous qui a _____ le palais du Louvre?

8. (défendre)   Les journalistes ont _____ la liberté de la presse.

9. (casser)   Quelqu'un a _____ la glace de la salle de bains.

10. (choisir)   Quel chemin as-tu _____?

20.2 *Passé Composé* in the Negative and Interrogative

NEGATIVE	
Je n'ai pas chanté.	*I didn't sing.*
Elle n'a jamais répondu.	*She has never answered.*
Ils n'ont pas réussi.	*They didn't succeed.*
Il n'a rien volé.	*He didn't steal anything.*

INTERROGATIVE	
Est-ce que j'ai chanté?	*Did I sing?*
A-t-elle répondu?	*Has she answered?*
Ont-ils réussi?	*Did they succeed?*

NEGATIVE INTERROGATIVE	
Est-ce que je n'ai pas chanté?	*Didn't I sing?*
N'a-t-elle pas répondu?	*Hasn't she answered?*
N'ont-ils pas réussi?	*Didn't they succeed?*

NOTES:

1. In the **passé composé,** only the present tense of **avoir** becomes negative, interrogative, or both.
2. Personal object pronouns, including **y** and **en,** are placed directly before the forms of **avoir: Qui _l_'a fini? Je ne _leur_ ai pas parlé. N'_en_ ont-ils pas vendu?**

 ## EXERCICE B

Mettez à la forme négative:

1. Nous avons travaillé pendant les vacances.

---

2. Le programme a-t-il fini vers neuf heures?

---

3. J'ai attendu les résultats de mes examens.

---

4. Pourquoi ont-ils appelé le docteur?

---

5. Elle nous a donné son opinion.

EXERCICE C

Mettez à la forme interrogative:

1. Tu as effacé ton erreur.

---

2. On a puni les voleurs.

_____

3. Vous n'avez pas oublié mon pourboire, monsieur.

_____

4. Émile leur a rendu leurs clefs.

_____

5. Je ne vous ai jamais expliqué ma théorie.

_____

VOCABULAIRE			
l'immeuble (m)	_apartment house_	**envoyer**	_to send_
jusqu'à	_up to, until, as far as_	**essayer**	_to try, try on_
pendant	_during_	**tourner**	_to turn_

■ EXERCICE D

Donnez la forme convenable du passé composé:

1. (vendre)   Pourquoi les Français _____-ils _____ la Louisiane?

2. (lever)   On _____ la main pour répondre.

3. (essayer)   J'_____ de le faire tout seul.

4. (obéir)   Le soldat n'_____-il _____ au capitaine?

5. (poser)   Vous lui _____ une question élémentaire.

6. (envoyer)   Qui nous _____ ces belles fleurs?

7. (perdre)   Non, le client dit qu'il n'_____ rien _____.

8. (tourner)   Pour y arriver, nous _____ à gauche.

9. (guérir)   La malade _____ rapidement.

10. (jouer)   Quels acteurs _____ dans ce film?

EXERCICE E

Mettez les phrases au passé composé:

1. Les Duval trouvent un plus grand appartement dans le nouvel immeuble.

   _____

2. Est-ce que le Président ne choisit pas un nouvel ambassadeur?

   _____

3. L'agent lui donne le bras pour traverser la rue.

   _____

4. Nous essayons plusieurs chapeaux.

   _____

5. Pendant la semaine le boucher vend beaucoup de poulets.

   _____

6. Pourquoi le médecin demande-t-il son stéthoscope?

   _____

7. Marchent-ils jusqu'au boulevard de la Bastille?

_____

8. Pourquoi ne me racontez-vous pas les détails de l'incident?

_____

9. Est-ce que je remplis assez de tasses?

_____

10. Combien d'argent leur rends-tu?

_____

_____

■ **EXERCICE F**

_____

Dites en français:

1. Who won the prize?

_____

2. We have never won.

_____

3. What did you (familiar) lose?

_____

4. I lost my gloves.

_____

5. Have you sent her a gift?

_____

6. Of course, Louise and I chose it.

_____

7. They waited until noon.

_____

8. Who stole my candies?

_____

9. Why didn't you answer me?

_____

10. I turned the page.

_____

11. Didn't he eat anything?

_____

12. He never finished it.

_____

_____

■ **EXERCICE G**

Répondez par des phrases complètes:

1. Où avez-vous rencontré M. Lacoste hier soir?

Nous _____.

2. Est-ce que je vous ai donné mon numéro de téléphone?

Oui, vous _____.

3. À quelle heure du matin a-t-on entendu l'avion?

_____.

4. Qui a regardé le match de football à la télévision avec toi?

Georgette et Georges _____.

5. Quand a-t-on bâti ce bel immeuble?

_____.

6. Qu'est-ce que tu as cherché dans le réfrigérateur?

_____.

7. Combien de fois les enfants ont-ils mangé aujourd'hui?

_____.

8. Est-ce que tout le monde a réussi à l'examen d'algèbre?

Non, _____.

9. Cet avocat a bien défendu son client?

_____.

10. Qui a invité Julien à dîner chez nous?

Toi, tu _____.

_____

■ EXERCICE H

_____

Après avoir étudié les images, répondez aux questions par des phrases complètes:

1. Qu'est-ce que j'ai entendu?

_____

2.  Où sont ces soldats?

3.  Qu'est-ce qui a réveillé cet homme?

4.  Que fait cet élève?

5.  Qu'est-ce que Mme Faucher a acheté?

6.  Que font ces enfants sur le lac?

7.  Où est ce chien?

8.  Que fait ce garçon?

9. 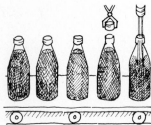 Qu'est-ce qu'on a rempli?

10.  Qu'est-ce qui vole dans le ciel?

11.  Où cette femme met-elle les chemises sales?

12.

Qu'est-ce que Pierre a cassé?

13.

Où ce jeune homme se lave-t-il?

14.

Qu'est-ce qu'il y a au milieu du fleuve?

15.

Où Pauline va-t-elle?

RÉVISION 4

A. Listening Comprehension

Your teacher will read aloud a question or statement and will then repeat it. After the second reading, circle the letter of the best suggested response:

1. a. Très bien, j'aime les sports.
   b. Ah, bon, j'attends une lettre importante.
   c. Je ne suis pas fort en algèbre.
   d. Bien sûr, c'est aujourd'hui dimanche.

2. a. Dans l'ascenseur.
   b. Dans la machine à laver.
   c. Sur le plafond.
   d. Dans la salle de bains.

3. a. Je les trouve trop doux.
   b. À cause du sel.
   c. Parce qu'il ne pleut plus.
   d. Je ne fume pas.

4. a. Nous les effaçons.
   b. C'est notre professeur.
   c. C'est difficile à écrire.
   d. J'ai besoin d'un dictionnaire.

5. a. Mais je suis très heureuse, maman.
   b. C'est vrai, jusqu'à neuf heures.
   c. Je me dépêche, maman.
   d. Je n'ai pas de rideau.

6. a. Plusieurs vêtements de laine.
   b. Deux litres de vin.
   c. Une longue lecture.
   d. Une jolie actrice.

7. a. Avant de prendre mon bain.
   b. Avant de me coucher.
   c. Avant de me réveiller.
   d. Avant de partir pour l'école.

8. a. Oui, c'est un paquet.
   b. Ce n'est pas moi.
   c. Oui, elle est en or.
   d. Ah, vous aimez les cloches.

9. a. C'est une concierge.
   b. C'est un fauteuil.
   c. C'est l'ouest.
   d. C'est un bijou.

10. a. Oui, elle va très bien.
    b. Non, elle est en ville.
    c. Non, elle préfère le café.
    d. Elle y reste.

B. Complétez les phrases:

1. — Tu vas à la maison? — Oui, je vais _____ moi.

2. Voici les fourchettes _____ vous cherchez.

3. Sur chaque bureau, il y a un téléphone et une _____ à écrire.

4. Ils _____ réveillent vers sept heures du matin.

5. Qu'est-ce _____ est dans ce paquet?

6. Quand je l'appelle, elle tourne _____ tête.

7. — Vous nagez souvent? — Oui, nous _____ tous les jours dans la mer.

8. Qu'est-ce que Roger _____ perdu?

9. Prends ton bain avant _____; je préfère attendre.

10. Dans cet _____ il y a quatre appartements à chaque étage.

11. — Vous vous levez tard? — Non, je me _____ de bonne heure.

12. Elle achète deux kilos de _____ de terre.

13. _____, tu es l'ami de tout le monde.

14. Martine ne sait pas encore lire. C'est pourquoi nous lui achetons des livres avec beaucoup d'_____.

15. Armand fait son service militaire comme simple _____ dans l'armée.

16. Henri est très brave. Moi, je ne suis pas si brave que _____.

17. Est-ce un oiseau bleu _____ nous voyons?

18. — Ce manteau est à vous? — Non, il n'est pas à _____.

19. C'est Jeanne _____ m'a téléphoné.

20. M. et Mme Thibaud ne sortent pas ce soir. Ils vont dîner chez _____.

C. Homonyms

We often hear words that sound alike but have different meanings. Such words are called homonyms. In English, we have, for example: pair, pear, pare — *all pronounced alike.*

French, too, has homonyms, and you know some of them. Give a homonym for each of the following:

1. an   _____   11. haut   _____

2. coup _____   12. se   _____

3. vers _____   13. toit   _____

4. non   _____   14. mer   _____

5. vin   _____   15. son   _____

6. août _____   16. dans   _____

7. cent _____   17. prêt   _____

8. moi   _____   18. sale   _____

9. ont   _____   19. voix   _____

10. fin _____   20. vend   _____

D. *Find a logical response in Column II to each question or statement in Column I. Then write the letter in the space provided:*

I   II

_____ 1. Pouvez-vous me prêter quelques francs?

_____ 2. C'est notre meilleur parfum.

_____ 3. Écrivez tout de suite leur numéro de téléphone.

_____ 4. Pourquoi ne veut-il pas nager?

_____ 5. Que Julien est généreux!

_____ 6. Comment vas-tu traverser le continent?

_____ 7. Que voulez-vous me raconter?

_____ 8. Pourquoi ne peux-tu pas lire ici?

_____ 9. Comment savez-vous qu'il est très riche?

_____ 10. Envoyons ce paquet à Roger.

a. Il a un cœur d'or.
b. Je continue mes études.
c. Il a une collection magnifique de pierres précieuses.
d. Il y a trop de bruit.
e. Je n'en ai pas.
f. J'ai besoin d'un crayon.
g. Je n'ai pas peur de voler.
h. Rien d'important.
i. Il commence à marcher plus vite.
j. L'eau est trop froide.
k. Je le prends pour ma femme.
l. Je n'ai pas de timbres.

E. *Complétez les phrases avec les équivalents des mots entre parenthèses:*

1. (travel) Nous _____ souvent avec plusieurs amis.

2. (What) _____ tu as cassé?

3. (between) Nous allons partir _____ deux et trois heures.

4. (did you succeed) Comment _____ à le réparer?

5. (Raise your hand) _____, s'il vous plaît.

6. (Whom) _____ voulez-vous voir?

7. (as far as) Ils ont voyagé en voiture _____ Cannes.

8. (Easter) Les élèves s'amusent pendant les vacances de _____.

9. (What a) _____ actrice marveilleuse!

10. (light) On voit une _____ au premier étage.

11. (Enjoy yourself) Au revoir, Denise. _____.

12. (We hurry) _____ pour y arriver à l'heure.

13. (belong to him) Ces billets _____.

14. (toward us) Tout a coup, l'animal tourne et vient _____.

15. (No one has stolen) _____ vos bijoux.

16. (I sent) _____ les lettres par avion.

17. (means) Qu'est-ce que ce proverbe _____?

18. (Hasn't she returned) _____ votre guitare?

19. (a bath) Ils prennent _____ de soleil sur la plage.

20. (cut) Qui _____ le gâteau d'anniversaire?

F. Faux Amis

Many words in French and English look alike but have different meanings. For example, the French word on (we, you, they, people) is spelled like the English word on. Such words are called faux amis (false friends). In the following sentences, the missing words are faux amis. When you have completed the exercise, you will have ten French words that resemble English words:

1. Le chien et le _____ sont des animaux domestiques.

2. Une avenue est généralement plus longue et plus _____ qu'une rue.

3. Voici un cadeau _____ vous.

4. Elle va chez le dentiste parce qu'elle a mal aux _____.

5. L'_____ est un métal précieux.

6. Je vais acheter un _____ pour faire des sandwichs.

7. Quand on se couche, on va au _____.

8. — Leur maison de campagne est près d'ici? — Non, elle est _____ d'ici.

9. — Qu'est-ce que tu as à la _____? — C'est un stylo.

10. Nous mettons une petite table dans un _____ de notre chambre.

G. The Hidden Answer

Où Mme Dubois va-t-elle ce matin?

Hidden in this puzzle are a number of French words you know: aimable, loin, chambre, grosse, rue, soldat, repas, neiger, campagne, gagner, ensemble. *Find them, reading in any direction: forward, backward, up, down, or diagonally. Circle only the letters of the words. Then write the remaining letters in the spaces below, reading across line by line. You will discover the three-word hidden answer to the question:*

```
C H A M B R E E
S A I C E E H L
O E M P E N Z B
L S A P I G L M
D S B O A A E E
A O L B O G U S
T R E G I E N N
C G H E R R U E
```

—— —— —— ——   —— —— ——   —— —— —— —— —— —— ——.

H. Reading Comprehension

Read carefully each of the following passages. Guess the meaning of new words from their use in the passages and from recognizable English cognates. Then complete the exercises that follow:

1. Mlle Ledoux, qui est secrétaire dans le bureau d'une compagnie commerciale, est souvent en retard. Un jour, quand elle n'y arrive pas à l'heure, la directrice, irritée, lui dit:
   — Enfin, mademoiselle, vous arrivez tous les matins en retard. N'avez-vous pas un réveille-matin (petite pendule qui sonne pour vous réveiller)?
   — Mais si*, madame, mais il sonne toujours quand je dors (*am asleep*) dans mon lit.

   * **Si** is used in place of **oui** to contradict a negative statement.

Quel problème cette dame a-t-elle?

a. Elle ne peut pas dormir.　　**c.** Elle n'entend rien quand elle dort.
b. Elle a besoin d'un bon lit.　　**d.** Elle n'a pas de montre.

2. Fernand, un jeune garçon d'un petit village, en jouant à la balle un jour, casse une fenêtre de l'église. Personne ne sait que c'est lui qui l'a fait. Mais l'enfant tremble de peur chaque fois que le curé (*parish priest*) le regarde. À l'école de dimanche, le curé demande aux élèves:
— Qui a fait le ciel et la terre?
Fernand, qui pense toujours à la fenêtre cassée, dit:
— Ce n'est pas moi, monsieur le curé.
Le curé, étonné (*surprised*) de cette réponse, répond:
— Comment, ce n'est pas toi?
— Eh bien, oui, dit alors le petit, c'est moi, mais je le regrette beaucoup.

Répondez par des phrases complètes:

a. Que fait Fernand en jouant un jour?

_____

b. Que fait-il quand le curé le regarde?

_____

Vrai ou faux?

a. Fernand écoute bien la question du curé.　　_____

b. Le curé ne comprend pas la première réponse du garçon.　　_____

c. Enfin Fernand répond bien à la question.　　_____

3. M. et Mme Gauthier, qui voyagent à la campagne, cherchent une chambre avec salle de bains pour le week-end. À l'hôtel, on leur montre d'abord une chambre au premier étage. Puis (*Then*) ils montent dans l'ascenseur au cinquième étage pour voir une autre chambre. Ils décident de prendre la deuxième chambre parce qu'elle est plus grande, avec un haut plafond, et évidemment propre et très confortable. Mme Gauthier admire le beau tapis qui couvre le plancher. Alors on leur donne la clef et on monte leurs valises.

Répondez par des phrases complètes:

a. Pourquoi les Gauthier vont-ils à l'hôtel?

_____

b. Combien de temps vont-ils y passer?

_____

c. Quelle chambre aiment-ils mieux?

_____

d. Pourquoi?

_____

4. Mes visites à la petite principauté (*principality*) de Monaco sont toujours agréables et intéressantes. Monaco se trouve (*is located*) au sud-est de la France, sur la Côte d'Azur — la Riviera. Ses plages sont sur la mer Méditerranée.

Ce pays miniscule, pas loin de Nice et de l'Italie, est gouverné par un prince et un Conseil National. C'est une nation indépendante avec une constitution

libérale. La langue officielle du pays est le français, et l'unité monétaire est le franc.

Plus de la moitié (*half*) des habitants sont français. La minorité des citoyens d'origine monégasque (*of Monaco*) ne paient pas de taxes. Il y a aussi un nombre d'Italiens, avec des Anglais, des Belges et des Suisses.

La ville principale de Monaco est Monte-Carlo, célèbre pour son vieux casino, où viennent des visiteurs de tous les coins du globe pour s'amuser ou pour gagner des fortunes. On y voit des gens (*people*) très riches, des personnes aventureuses et des joueurs (*gamblers*) professionnels. Naturellement, Monte-Carlo a un grand nombre d'hôtels, surtout des hôtels de luxe.

La beauté naturelle de la région, le climat doux, les nombreuses activités sociales et culturelles et le casino attirent (*attract*) pendant toute l'année beaucoup de visiteurs à cette station balnéaire (*seaside resort*). Vous pouvez comprendre pourquoi je m'amuse bien chaque fois que je visite Monaco.

Répondez par des phrases complètes:

a. Où Monaco est-il situé?

_____

b. Quelle est la langue officielle du pays?

_____

c. Quel temps y fait-il généralement?

_____

d. Quelle grande ville française est près de la principauté?

_____

e. Qui gouverne le pays avec le Conseil National?

_____

f. Quelle est la nationalité de la majorité des habitants?

_____

g. Quels gens ne paient pas de taxes?

_____

h. Pourquoi la ville de Monte-Carlo est-elle si célèbre?

_____

i. D'où viennent tous les visiteurs à Monaco?

_____

j. Pour quelles raisons (_reasons_) y viennent-ils?

_____

5. Un petit garçon, appelé Étienne, entre dans la salle à manger sans invitation pour dîner avec son père et des amis. On discute des affaires très importantes et le père dit à son fils qu'il est trop jeune pour cette conversation et qu'il ne peut pas manger avec eux. Le petit remarque que tous les messieurs qui sont assis autour de son père portent une barbe (_beard_).

Plus tard, quand Étienne commence son repas, le chat entre et met la patte (_paw_) sur la table pour demander quelque chose à manger.

— Mais non! crie Étienne, tu ne peux pas dîner avec moi. Tu es trop âgé. Regarde ta longue barbe. Cherche mon père et ses amis et dîne avec eux.

Choose the correct answer:

1. Why did the cat come over to Étienne?
  a. The cat was hungry.   **c.** Étienne's father sent him.
  b. It was a lonesome cat.   **d.** The cat was tired.

2. Why did Étienne make the cat leave?

  a. Étienne had not invited the cat.
  b. If he hadn't, his father would have been angry.
  c. He felt the cat had more in common with his father and his friends.
  d. Étienne did not like cats.

6. Tout le monde sait que la civilisation change constamment. La langue, qui est l'expression orale et écrite de la civilisation, change aussi. C'est une chose vivante (_living_) qui progresse avec l'histoire du peuple (_people_).

Le français, comme l'espagnol et l'italien, est une langue romane, c'est-à-dire, une langue dérivée du latin. Il a son origine dans le latin populaire des soldats romains qui font la conquête de la Gaule. Quand la Gaule devient partie de l'empire romain, les Gaulois adoptent la langue et la civilisation romaines.

Le français est une langue bien développée, une langue riche et exacte, connue (*known*) pour la clarté de sa syntaxe, de son expression et de sa pensée. C'est une des langues officielles de l'Organisation des Nations unies.

Dans les autres pays, on parle français principalement en Belgique, en Suisse, au Luxembourg, dans l'Est du Canada, et dans plusieurs républiques d'Afrique. Aux États-Unis, on parle encore la langue dans des parties de la Louisiane.

L'influence du français sur l'anglais est évident. Quand le duc de Normandie fait la conquête de l'Angleterre en 1066, le français devient la langue officielle de la cour royale, des nobles anglais et de la justice. Aujourd'hui nous trouvons dans la langue anglaise un grand nombre de mots d'origine française.

Vrai ou faux?

1. La langue, qui est une expression des pensées d'un peuple, change avec le progrès du peuple. _____

2. On écrit souvent des documents internationaux en français. _____

3. Le français est dérivé du latin des écrivains classiques et des grammairiens de Rome. _____

4. On parle français dans des parties du Canada et de la Belgique. _____

5. L'anglais n'a rien de commun avec le français. _____

6. Le français est une langue claire et précise. _____

Passé Composé of Irregular Verbs

21.1

Most verbs that are irregular in the present tense have irregular past participles. For example:

Où avez-vous *été*?   *Where have you been?*
Il a *mis* l'ordinateur sur la table.   *He put the computer on the table.*

After studying the past participles of the irregular verbs below, test your mastery in the exercises that follow:

INFINITIVE	PAST PARTICIPLE
avoir *to have*	**eu**
dire *to say, tell*	**dit**
écrire *to write*	**écrit**
être *to be*	**été**
faire *to do, make*	**fait**
lire *to read*	**lu**
mettre *to put*	**mis**
ouvrir *to open*	**ouvert**
couvrir *to cover*	**couvert**
pleuvoir *to rain*	**plu**
pouvoir *to be able*	**pu**
prendre *to take*	**pris**
apprendre *to learn*	**appris**
comprendre *to understand*	**compris**

savoir	*to know*	**su**
voir	*to see*	**vu**
vouloir	*to wish, want*	**voulu**

 ## EXERCICE A

Complétez les phrases avec le participe passé du verbe entre parenthèses:

1. (voir) Nous n'avons pas encore _____ l'exposition d'art français.

2. (apprendre) Qu'as-tu _____ à l'école aujourd'hui, Caroline?

3. (être) Cet hiver, la viande n'a pas _____ bon marché.

4. (faire) Ils ont _____ une exception pour nous.

5. (vouloir) J'ai _____ visiter le Quartier latin.

6. (mettre) N'a-t-on pas _____ le voleur en prison?

7. (savoir) Vous n'avez pas _____ répondre à la question?

8. (ouvrir) Qui a _____ la boîte de chocolats?

9. (avoir) Nous avons _____ le plaisir de dîner avec eux.

10. (écrire) Quand as-tu _____ cet article?

VOCABULAIRE			
l'écrivain (m)	*writer*	**le quartier**	*neighborhood, district, quarter*
le bâtiment	*building*	**le rendez-vous**	*appointment*
la partie	*part*	**le roman**	*novel*
le plaisir	*pleasure*	**il y a**	*ago*

EXERCICE B

Répétez la phrase en substituant le passé composé des verbes indiqués:

1. Qu'est-ce qu'ils ont oublié?   (dire, vouloir)

2. Je n'ai pas fini la première partie du roman.   (comprendre, lire)

3. A-t-il préféré nager?   (pouvoir, savoir)

4. Nous l'avons entendu il y a vingt minutes.   (écrire, voir)

5. Simone a acheté des chaussures.   (mettre, prendre)

EXERCICE C

Mettez les phrases au passé composé:

1. Qu'est-ce que le directeur veut dire?

2. Il pleut toute la nuit.

3. Le cadeau te fait plaisir?

4. Tous les habitants du quartier lisent ce journal.

5. Je ne peux pas trouver mon billet.

6. Quand ouvre-t-on ce bâtiment d'architecture moderne?

7. Nous prenons rendez-vous chez le médecin pour demain à dix heures.

8. Le malade n'a pas d'appétit.

9. Vous voyez les monuments sur la Place de la Concorde?

10. Elles écrivent leurs impressions du voyage.

Formez des phrases au passé composé avec les sujets entre parenthèses:

1. prendre nos bagages   (le porteur)

2. écrire un livre remarquable sur les animaux   (cet écrivain)

3. vouloir danser avec toi?   (qui)

4. pleuvoir jusqu'à midi   (il)

5. pourquoi ne pas pouvoir comprendre la langue?   (vous)

6. avoir un succès énorme aux États-Unis   (leurs romans)

7. faire ce portrait il y a longtemps   (l'artiste)

8. ouvrir la radio   (nous)

9. être pleins de vie   (ces deux acteurs)

10. mettre des bananes dans sa salade de fruits   (ma tante)

EXERCICE E

Dites en français:

1. Did you say something?

   _____

2. What did they take?

   _____

3. We covered our books.

   _____

4. He wrote to you, didn't he?

   _____

5. I didn't see the building.

   _____

6. We have been very happy here.

   _____

7. Did you (familiar) understand it?

   _____

8. She read us a part of the letter.

   _____

9. Who made the bed?

   _____

10. Hasn't he learned all the words?

   _____

■ EXERCICE F

Répondez par des phrases complètes en employant les mots indiqués:

1. Quel temps a-t-il fait hier?   (du soleil)

_____

2. À quelle heure as-tu pris le train?   (vers midi)

_____

3. Qui a ouvert ce paquet? (moi)

_____

4. Avez-vous pu prendre une décision?   (nous)

_____

5. Est-ce que je t'ai dit pourquoi j'ai refusé ce cadeau?   (non)

_____

6. Est-ce que les Américains ou les Russes ont été les premiers à marcher sur la Lune?

_____

7. Quel film as-tu vu ce mois?

_____

8. Où est-ce que j'ai mis mon parapluie?   (sur le lit)

_____

9. Est-ce que cet auteur a eu beaucoup de succès avec ses romans?   (non)

_____

10. Avez-vous lu les journaux d'hier?   (non)

22 Passé Composé *of* être *Verbs*

22.1

Certain verbs use the present tense of **être** with the past participle, instead of the present tense of **avoir**, to form the **passé composé.** These are mainly verbs of *coming* and *going*:

Je suis sorti.	*I went out.*
Il n'est pas encore descendu.	*He hasn't come down yet.*
Quand es-tu parti?	*When did you leave?*

The following verbs that you have already learned follow this pattern:

INFINITIVE		PAST PARTICIPLE
aller	*to go*	**allé**
venir	*to come*	**venu**
arriver	*to arrive*	**arrivé**
partir	*to leave, go away*	**parti**
entrer	*to enter, go (come) in*	**entré**
sortir	*to go out, leave*	**sorti**
monter	*to go (come) up*	**monté**
descendre	*to go (come) down*	**descendu**
revenir	*to come back, return*	**revenu**
devenir	*to become*	**devenu**
tomber	*to fall*	**tombé**
rester	*to remain, stay*	**resté**

EXERCICE A

Répétez la phrase en substituant le passé composé des verbes indiqués:

1. Qui n'a pas encore récité?   (sortir, entrer)

2. J'y ai répondu tout de suite.   (aller, descendre)

3. N'as-tu pas fini avant lui?   (venir, arriver)

4. Tout le monde a déjà mangé.   (monter, revenir)

5. Roland n'a pas été à Nice.   (partir, rester)

22.2 Changes in the Past Participle

Now let's examine the changes in the past participles of these verbs as the subject changes:

MASCULINE SUBJECTS	FEMININE SUBJECTS
Je suis part*i*.	Je suis part*ie*.
Tu es part*i*.	Tu es part*ie*.
Il est part*i*.	Elle est part*ie*.
Nous sommes part*is*.	Nous sommes part*ies*.
Vous êtes part*i(s)*.	Vous êtes part*ie(s)*.
Ils sont part*is*.	Elles sont part*ies*.

NOTES:

1. Like adjectives, past participles conjugated with **être** agree in gender and number with the *subject.*

2. Since the pronouns **je, tu, nous,** and **vous** may be masculine or feminine, and **vous** may be singular or plural, the past participles used with them vary in ending.

▉ EXERCICE B

Donnez la forme convenable du participe passé:

1. (aller)   Où sont-elles _____?

2. (devenir)   Le vent est _____ plus fort.

3. (descendre) À quelle station es-tu _____, Hélène?

4. (partir)   Adèle et Paul sont _____ de bonne heure.

5. (entrer)   La pluie n'est jamais _____ par cette fenêtre.

6. (arriver)   M. et Mme Martin sont _____ par avion.

7. (tomber)   Pourquoi la reine est-elle _____ malade?

8. (rester)   Nous sommes _____ chez nous hier soir.

9. (revenir)   Ne sont-ils pas _____ vous voir?

10. (sortir)   Est-ce que votre nouveau roman est déjà _____?

22.3

The present tense of **être** is used to form the **passé composé** of four other verbs:

	INFINITIVE	PAST PARTICIPLE
retourner	*to go back, return*	**retourné**
rentrer	*to go in again, return (home)*	**rentré**
naître	*to be born*	**né**
mourir	*to die*	**mort**

Elle est *née* en avril.   *She was born in April.*
Deux de leurs arbres sont *morts*.   *Two of their trees died.*

EXERCICE C

Mettez les phrases au passé composé:

1. Je vais jusqu'au Pont Neuf et je reviens.

2. Le facteur ne retourne pas à la poste avant cinq heures.

3. Cet été nous restons seulement quinze jours en Europe.

4. Tu pars tout seul à bicyclette dans la forêt?

_____

5. Les petits poissons deviennent grands.

_____

6. Pourquoi ce bruit étrange sort-il du moteur?

_____

7. Louise rentre immédiatement après moi.

_____

8. Dix femmes descendent du train.

_____

9. Vous entrez dans ce pays sans passeport?

_____

10. Attention! Vos lunettes tombent.

_____

■ EXERCICE D

_____

Répétez la phrase en remplaçant le sujet masculin par l'équivalent féminin:

EXEMPLE: Il est retourné en Allemagne.
          Elle est retournée en Allemagne.

1. Notre cousin est resté avec nous à Lyon.

_____

2. Tu es venu me parler?

_____

3. C'est la première fois que le malade est sorti.

_____

4. Tous les amis sont partis en groupe.

_____

5. Est-ce que François est devenu médecin?

_____

6. Nous sommes entrés au théâtre.

_____

7. Je suis né au Canada.

_____

8. Il n'est pas mort dans l'accident.

_____

9. N'êtes-vous jamais monté jusqu'au toit?

_____

10. Ces Anglais sont arrivés à New York mercredi.

_____

EXERCICE E

Dites en français:

1. When were they born?

_____

2. Richard came down a few minutes ago.

_____

3. Where did the leaves fall?

_____

4. Spring has returned (come back).

_____

5. You (familiar) never went back to that store, did you?

_____

6. I didn't go out before the exam.

_____

7. No, the letter hasn't arrived.

_____

8. Why did the animal die?

_____

9. Haven't they gone up?

_____

10. When did you (pl) go to the beach?

_____

_____

◼ EXERCICE F

Répondez par des phrases complètes:

1. Ce vent fort est-il venu de l'est ou de l'ouest?

_____

2. Est-ce que je suis arrivé à l'heure?

Non, vous _____

3. Combien de temps sont-ils restés sur la Côte d'Azur?

_____

4. En quel mois Martine est-elle née?

_____

5. Est-ce que l'écrivain célèbre est retourné en train ou en voiture?

_____

6. Qu'est-ce qui est tombé dans la cuisine?

Des tasses _____

7. À quelle heure es-tu rentrée hier soir, Dorothée?

_____

8. Ces fleurs sont déjà mortes?

_____

9. Il a neigé ce matin. Est-ce que la terre est devenue blanche ou bleue?

_____

10. Êtes-vous sortis malgré le mauvais temps?

_____

23 *Imperfect Tense*

You now know how to express in French what *happened at a certain point in* the past:

> **J'ai rencontré Eugène hier.**   *I met Eugene yesterday.*
> **Nous sommes allés au parc dimanche.**   *We went to the park Sunday.*

What tense do you use? The **passé composé,** of course.

23.1

But suppose you wish to describe a past action or situation that *was happening*, that was *continuous.* Here is an example:

> **Il pleuvait.**   *It was raining.*
> **Elle avait mal au dos.**   *She had a backache.*

You may also wish to express a past action or situation that *used to happen*, that was *repeated*:

Je rencontrais Eugène tous les jours.   *I used to meet (met) Eugene every day.*
Nous allions au parc le dimanche.*   *We used to go (went) to the park on Sundays.*

---

* When an action is repeated weekly, the definite article is used with the day of the week.

The tense used in these examples is the *imperfect* (**l'imparfait**). The imperfect tense is used for two kinds of actions or situations: *continuous* and *repeated*.

While the English imperfect is usually expressed by *was -ing*, *were -ing*, and *used to*, the simple past may also imply continuous or repeated action:

Il marchait chez lui.   *He was walking (used to walk, walked) home.*

23.2   Regular Verbs

chanter *to sing*	**remplir** *to fill*	**répondre** *to answer*
I was singing, *I used to sing,* *I sang*	*I was filling,* *I used to fill,* *I filled*	*I was answering,* *I used to answer,* *I answered*
je chantais tu chantais il chantait elle chantait nous chantions vous chantiez ils chantaient elles chantaient	je remplissais tu remplissais il remplissait elle remplissait nous remplissions vous remplissiez ils remplissaient elles remplissaient	je répondais tu répondais il répondait elle répondait nous répondions vous répondiez ils répondaient elles répondaient

NOTES:

1. To form the imperfect tense of all verbs (except **être**) drop **-ons** from the **nous** form of the present tense and add the imperfect endings:

INFINITIVE	NOUS FORM	STEM	IMPERFECT
chanter	chantons	chant	je chantais
remplir	remplissons	rempliss	je remplissais
répondre	répondons	répond	je répondais

2. The personal endings of the imperfect tense for all verbs are: **-ais, -ais, -ait, -ions, -iez, -aient.**

3. When the **nous** and **vous** forms of a verb end in **-ions** and **-iez** in the present tense, they end in **-iions** and **-iiez** in the imperfect: **nous étudiions, vous étudiiez.**

EXERCICE A

Donnez la forme convenable de l'imparfait:

1. (préparer) Dans la cuisine, on _____ le dîner.

2. (remplir) Qu'est-ce que vous _____?

3. (défendre) Nous _____ toujours notre point de vue.

4. (adorer) Marianne _____ les romans d'amour.

5. (chercher) Je _____ du savon et une serviette.

6. (obéir) Est-ce que tu n'_____ pas toujours à tes professeurs?

7. (emprunter) Nous n'_____ jamais rien.

8. (vendre) Le boulanger nous _____ du pain délicieux.

9. (réussir) Mais oui! Je _____ à tous mes examens.

10. (donner) Au petit déjeuner, Mme Dubois _____ toujours un jus d'orange à ses enfants.

23.3 Irregular Verbs

INFINITIVE		NOUS FORM OF PRESENT TENSE	IMPERFECT
aller	to go	allons	j'allais
avoir	to have	avons	j'avais
dire	to say, tell	disons	je disais
écrire	to write	écrivons	j'écrivais
faire	to do, make	faisons	je faisais
lire	to read	lisons	je lisais
mettre	to put, put on	mettons	je mettais
ouvrir	to open	ouvrons	j'ouvrais
partir	to go away, leave	partons	je partais
pouvoir	to be able	pouvons	je pouvais
prendre	to take	prenons	je prenais
savoir	to know, know how	savons	je savais
sortir	to go out, leave	sortons	je sortais
venir	to come	venons	je venais
voir	to see	voyons	je voyais
vouloir	to wish, want	voulons	je voulais

NOTES:

1. The imperfect tense of **être** is: **j'étais, tu étais, il (elle) était, nous étions, vous étiez, ils (elles) étaient.**

2. The imperfect of **il pleut** is **il pleuvait** (*it was raining*).

3. Note the special English meaning of **pouvais**: *could*.

 EXERCICE B

Mettez à l'imparfait:

1. Chaque soir, mon père me lit une histoire intéressante.

2. Nous prenons des fruits comme dessert.

3. Ne peux-tu pas me voir?

_____

4. Il y a huit pièces dans leur maison.

_____

5. Elle porte un mouchoir de soie autour du cou.

_____

6. Ne dit-elle pas toujours la vérité?

_____

7. Ils viennent de toutes les régions du monde.

_____

8. Claude et moi, nous ne savons pas où aller en vacances.

_____

9. Vous êtes assis sur le bras du fauteuil.

_____

10. Tu les vois fréquemment, n'est-ce pas?

_____

11. Je vais à l'école tous les jours.

_____

12. On parle de lui avec amour.

_____

13. Nous étudions dans la salle de séjour.

_____

14. Avant le déjeuner, Monique met des cuillers et des serviettes sur la table.

_____

15. Que voulez-vous me dire?

_____

_____

■ EXERCICE C

Répétez la phrase en substituant la forme convenable du verbe indiqué:

1. Beaucoup d'avions volaient dans le ciel.   (être)

_____

2. Tu arrivais toujours à l'heure.   (partir)

_____

3. La nuit, nous fermions toutes les fenêtres.   (ouvrir)

_____

4. Louise cherchait ses lunettes de soleil.   (mettre)

_____

5. Qu'est-ce que vous racontiez ce matin?   (faire)

_____

6. Je téléphonais vers midi le dimanche.   (sortir)

_____

7. Le pilote descendait de bonne heure.   (se réveiller)

_____

8. À qui parliez-vous?   (écrire)

_____

9. Les Durand habitaient un appartement de trois pièces.   (avoir)

_____

10. Nous allions jouer au baseball.   (vouloir)

_____

23.4   Verbs in *-cer* and *-ger*

Verbs ending in **-cer** change **c** to **ç** before **a** to retain the sound of **c**. Verbs ending in **-ger** insert a mute **e** between **g** and **a** to retain the sound of **g** (see Lesson 16).

je commençais	je man*g*eais
tu commençais	tu man*g*eais
il commençait	il man*g*eait
elle commençait	elle man*g*eait
nous commencions	nous mangions
vous commenciez	vous mangiez
ils commençaient	ils man*g*eaient
elles commençaient	elles man*g*eaient

▪ EXERCICE D

Formez des phrases à l'imparfait avec les sujets indiqués:

1. voyager chaque été en Europe

Nous _____.

Je _____.

Les deux Américains _____.

2. prononcer bien le français

Vous _____.

Les touristes _____.

Je _____.

3. corriger les devoirs

Il _____.

Nous _____.

Elles _____.

4. effacer le tableau à l'école

Tu _____.

Cet étudiant _____.

Nous _____.

5. nager souvent sur le dos

Vous _____.

Denise _____.

Tu _____.

EXERCICE E

Donnez les équivalents en français:

1. I used to eat too much.

2. Everybody was going to the beach.

_____

3. We weren't saying anything.

_____

4. They used to go out before eight o'clock.

_____

5. Couldn't she speak?

_____

6. The lesson was beginning.

_____

7. You used to study every day.

_____

8. There weren't any.

_____

9. How was the weather? It was raining.

_____

10. We had no soap.

_____

23.5

Since we frequently tell what happened while something else was going on, we often find both the **passé composé** and the **imparfait** used in the same sentence. For example:

      Quand je me suis levé, il neigeait.   *When I got up, it was snowing.*

Mettez au passé en employant le passé composé et l'imparfait:

EXEMPLE: Elle admire les nouvelles chaussures que je porte.
Elle a admiré les nouvelles chaussures que je portais.

1. Nous partons de bonne heure parce qu'elle est fatiguée.

_____

2. Quelqu'un frappe à la porte pendant que je m'habille.

_____

3. Quand vous prenez ces photos, pleut-il?

_____

4. Mon ami m'écrit qu'il veut voir ma collection de timbres.

_____

5. Je ne comprends pas comment tu peux l'oublier.

_____

6. Ils voient que vous savez garder un secret.

_____

7. Elle va chez le boulanger parce que nous avons besoin de pain.

_____

8. Ne retrouvent-elles pas les clefs qu'elles cherchent?

_____

9. Il nous explique pourquoi la glace devient de l'eau.

_____

10. Entends-tu la chanson qu'elle chante?

_____

EXERCICE G

Répondez par des phrases complètes en employant les mots entre parenthèses:

1. Pourquoi n'est-elle pas allée à la fête?   (avoir mal à la tête)

   _____

2. Où preniez-vous votre déjeuner le dimanche?   (au restaurant, nous)

   _____

3. Ne saviez-vous pas mon numéro de téléphone?   (non, je)

   _____

4. Pourquoi Jean-Pierre était-il si gros?   (manger beaucoup)

   _____

5. Est-ce que vous voyagiez en avion ou en train?   (en train, je)

   _____

6. Où Charles et Henri travaillaient-ils ce week-end?   (à la bibliothèque)

   _____

7. Qu'est-ce que je vous racontais?   (une histoire intéressante)

   _____

8. Que faisiez-vous quand le téléphone a sonné?   (sortir du bain)

   _____

9. Où étaient-elles pendant que nous visitions le Sacré-Cœur? (faire une promenade en ville)

   _____

10. Est-ce que tu m'appelais?   (non, personne)

   _____

24 *Geographical Expressions*

In previous lessons, you have learned sentences with names of cities, countries, and other geographical terms. In this lesson, you will learn how they are used.

Londres est la plus grande ville de *l'Angleterre.*	*London is the largest city in England.*
La Méditerranée sépare la France de *l'Afrique.*	*The Mediterranean separates France from Africa.*
La Garonne est près *des Pyrénées.*	*The Garonne is near the Pyrenees.*

NOTE:

The definite article is used with most geographical names — countries, continents, former French provinces, mountains, bodies of water — but generally NOT with names of cities.

24.1 Feminine Countries, Continents, Provinces

l'Allemagne *Germany*
l'Angleterre *England*
la Belgique *Belgium*
la Chine *China*
l'Espagne *Spain*
la France *France*
l'Italie *Italy*
la Russie *Russia*
la Suisse *Switzerland*

l'Afrique *Africa*
l'Amérique *America*
l'Asie *Asia*
l'Europe *Europe*
la Bretagne *Brittany*
la Normandie *Normandy*
la Provence *Provence*

24.2 Masculine Countries

le Canada *Canada*
les États-Unis *the United States*

le Mexique *Mexico*
le Japon *Japan*

24.3 Mountains, Rivers, Bodies of Water

les Alpes (f) *the Alps*
les Pyrénées (f) *the Pyrenees*
le mont Blanc *Mount Blanc*
la Garonne *the Garonne (River)*
la Loire *the Loire*

le Rhin *the Rhine*
le Rhône *the Rhone*
la Seine *the Seine*
la Manche *the English Channel*
la (mer) Méditerranée *the Mediterranean (Sea)*

 EXERCICE A

Complétez les phrases en français:

1. (Belgium) Bruxelles est la capitale de _____ .

2. (The Loire) _____ est célèbre pour ses châteaux.

3. (Rouen) Jeanne d'Arc est morte dans la ville de _____ .

4. (Africa) _____ est un continent très intéressant.

5. (The Alps) _____ sont les montagnes les plus hautes du pays.

6. (London) Nous allons partir demain pour _____ .

7. (Normandy) _____ est une région de fermes fertiles.

8. (Europe) Presque tous les pays de _____ emploient le système métrique.

Geographical Expressions   **295**

9. (the English Channel) Cherbourg est un port sur _____.

10. (Canada) M. et Mme Girard vont visiter _____ cette année.

24.4 *To* or *In* with Place Names

Nous allons *en* Suisse.   We're going to Switzerland.
Demeurez-vous *aux* États-Unis?   Do you live in the United States?
Ils arrivent *à* Marseille.   They arrive in Marseilles.

NOTE:

To express *to* or *in*:

1. **en** is used with feminine countries, continents, and provinces;

2. **au** or **aux** is used with masculine countries;

3. **à** is used with names of cities.

◼ EXERCICE B

Complete the following sentences, substituting the new word or words given and using as much of the preceding sentence as possible:

EXEMPLE: Ils vont en ville.

_____ école.   Ils vont à l'école.

_____ musée.   Ils vont au musée.

Quand vas-tu au supermarché?

1. _____ Asie?

2. _____ Cherbourg?

3. _____ Bretagne?

4. _____ Japon?

5. _____ Russie?

Ils préfèrent rester à la maison.

6. _____ Italie.

7. _____ États-Unis.

8. _____ Allemagne.

9. _____ Europe.

10. _____ Chicago.

24.5 *From* with Place Names

Ces étudiants viennent *de* Suisse et *des* États-Unis.	*These students come from Switzerland and the United States.*
Elle est arrivée *de* Marseille.	*She has arrived from Marseilles.*

NOTES:

To express *from*:

1. **de** is used with feminine countries, continents, provinces, and cities;

2. **du** or **des** is used with masculine countries.

■ EXERCICE C

Complete the following sentences, substituting the new word or words given and using as much of the preceding sentence as possible:

Ils sont revenus du palais.

1. _____ Angleterre.

2. _____ Madrid.

3. _____ Canada.

4. _____ Provence.

5. _____ Amérique.

6. _____ Montréal.

7. _____ Chine.

8. _____ Mexique.

9. _____ Avignon.

10. _____ Russie.

EXERCICE D

Donnez les mots convenables pour compléter les phrases:

1. Nous n'avons jamais voyagé _____ Chine.

2. _____ Pyrénées séparent _____ France de _____ Espagne.

3. J'aime les eaux minérales _____ Vichy.

4. Avec qui allez-vous _____ Suisse?

5. Ils viennent _____ Bretagne, la péninsule au nord-ouest du pays.

6. L'avion, qui est parti hier _____ Japon, est arrivé aujourd'hui _ Canada.

7. _____ Provence est située entre _____ Méditerranée, _____ Alpes et _____ Rhône.

8. Comment as-tu passé tes vacances _____ Belgique?

9. _____ mont Blanc est le plus haut sommet _____ Europe.

10. On produit beaucoup de beurre et de fromage _____ Normandie.

11. Vos parents sont déjà revenus _____ Italie?

12. _____ Allemagne et _____ États-Unis sont des membres de l'O.N.U. (Organisation des Nations unies).

24.6 Résumé

PREPOSITIONS WITH PLACE NAMES				
	to, in		from	
feminine countries, continents, provinces	en	en Belgique en Afrique en Normandie	de	de Belgique d'Afrique de Normandie
masculine countries	au aux	au Mexique aux États-Unis	du des	du Mexique des États-Unis
cities	à	à Québec	de	de Québec

EXERCICE E

Formez des phrases au présent en employant le vocabulaire indiqué:

EXEMPLE: être / elle / encore / Reims
Est-elle encore à Reims?

1. Bordeaux / être / sur / Garonne

_____

2. beaucoup / personnes / parler / provençal / Provence

_____

3. avoir / ils / amis / Paris

_____

4. Seine / traverser / Normandie

_____

5. elles / étudier / à / école / histoire / Afrique

_____

6. Deauville / être / plage / populaire / sur / Manche

_____

7. on / manger / bien / France

_____

8. nous / aller / faire du ski / Chamonix / au pied / mont Blanc

_____

9. quand / arriver / elle / de / Nice

_____

10. neiger / il / souvent / Mexique

_____

■ **EXERCICE F**

_____

Dites en français:

1. We are visiting Brittany.

_____

2. Mexico is in America.

_____

3. Was she born in England?

_____

4. When are you leaving for Asia?

_____

5. Is Lyon on the Rhine or the Rhone?

_____

6. Haven't you traveled in Africa?

_____

7. Paris is not far from the English Channel.

_____

8. Does this cheese come from Switzerland?

_____

9. The Loire and the Seine are French rivers.

10. The train from Belgium arrived on time.

■ EXERCICE G

Répondez par des phrases complètes:

1. Dans quel continent est la France?

2. Dans quelle ville demeures-tu?

3. Dans quel pays sommes-nous maintenant?

4. Quelle langue parle-t-on au Mexique?

5. Êtes-vous jamais allé(e) en Espagne?

6. Quelle est la capitale de l'Italie?

7. Quand Roger est-il revenu de Chartres?

8. De quel pays les Dubois viennent-ils?

_____

9. Quel fleuve forme une partie de la frontière entre la France et l'Allemagne?

_____

10. Quelle est la plus grande ville des États-Unis?

_____

25 *Future Tense*

In our daily communication with others, we are accustomed to using three kinds of time: past, present, and future. You have learned how to refer in French to past events and how to tell what is happening in the present. Now let's learn how to express what will take place in the future.

25.1 Regular Verbs

chanter *to sing*	remplir *to fill*	répondre *to answer*
I will sing	*I will fill*	*I will answer*
je chanterai	je remplirai	je répondrai
tu chanteras	tu rempliras	tu répondras
il chantera	il remplira	il répondra
elle chantera	elle remplira	elle répondra
nous chanterons	nous remplirons	nous répondrons
vous chanterez	vous remplirez	vous répondrez
ils chanteront	ils rempliront	ils répondront
elles chanteront	elles rempliront	elles répondront

Anne chantera deux chansons.   *Anne will sing two songs.*
Ils ne rempliront pas toutes les bouteilles.   *They won't fill all the bottles.*
Répondrez-vous à mes lettres?   *Will you answer my letters?*

NOTES:

1. The future tense (**le futur**) is formed by adding the personal endings to the infinitive. In **-re** verbs, the final **e** is dropped before adding the endings.

2. The personal endings for all verbs in the future are the same as the forms or endings of the present tense of **avoir**: (-)ai, (-)as, (-)a, -ons, -ez, (-)ont.

■ EXERCICE A

Mettez au futur:

1. Votre succès la remplit de joie.

   _____

2. Vous prenez la première route à droite.

   _____

3. Qu'est-ce qu'on joue au concert ce soir?

   _____

4. Je me lave le visage avec de l'eau et du savon.

   _____

5. Est-ce que tout le monde sort bientôt?

   _____

6. Tu manges ta soupe de légumes avec cette grande cuiller.

   _____

7. Cette plante donne des fleurs en été.

   _____

8. Nous vous attendons au coin de la rue.

   _____

9. Ils mettent les deux voitures dans le garage.

   _____

10. Qui descend à la prochaine station?

25.2 Irregular Verbs

Some irregular verbs have an irregular stem in the future:

INFINITIVE	FUTURE	
aller	**j'irai**	*I will go*
avoir	**j'aurai**	*I will have*
être	**je serai**	*I will be*
faire	**je ferai**	*I will do (make)*
pouvoir	**je pourrai**	*I will be able*
savoir	**je saurai**	*I will know*
venir	**je viendrai**	*I will come*
voir	**je verrai**	*I will see*
vouloir	**je voudrai**	*I will wish (want)*

NOTE: The future tense of **il pleut** is **il pleuvra**.

 EXERCICE B

Changez chaque phrase en imitant l'exemple:

EXEMPLE: Je vais prendre mon petit déjeuner.
Je prendrai mon petit déjeuner.

1. Nous allons avoir sommeil après ce long voyage.

_____

2. Tu vas savoir ma réponse demain matin.

_____

3. Je ne vais pas être prête avant onze heures.

4. Allez-vous pouvoir m'aider?

_____

5. Le médecin va prendre sa température.

_____

6. Je vais vous faire une grande faveur.

_____

7. Elles vont aller à la plage.

_____

8. Nous allons vouloir de l'eau minérale.

_____

9. On va venir chez nous pour danser.

_____

10. Ne vont-ils pas voir les Alpes?

_____

25.3 Verbs with Mute *e*

Verbs with mute **e** in the syllable before the infinitive ending change mute **e** to **è** in all forms of the future. The verb **appeler** doubles the **l** (see Lesson 16).

acheter *to buy*	appeler *to call*
j'achèterai	j'appellerai
tu achèteras	tu appelleras
il achètera	il appellera
elle achètera	elle appellera
nous achèterons	nous appellerons
vous achèterez	vous appellerez
ils achèteront	ils appelleront
elles achèteront	elles appelleront

EXERCICE C

Répondez en imitant l'exemple:

EXEMPLE: Aujourd'hui le ciel est bleu. Et demain?
Demain aussi le ciel sera bleu.

1. Cette semaine nous achetons des prunes et des pêches. Et la semaine prochaine?

   _____

2. Maintenant il n'y a pas de danger. Et plus tard?

   _____

3. Ce matin il pleut. Et cet après-midi?

   _____

4. Aujourd'hui mes chaussures ne font pas de bruit. Et demain?

   _____

5. Maintenant l'athlète lève les bras et les jambes. Et après?

   _____

6. Tu ne joues pas maintenant avec le feu. Et plus tard?

   _____

7. Cette année les fermiers achètent des vaches et des cochons. Et l'année prochaine?

   _____

8. Ce matin vous appelez un taxi. Et demain matin?

   _____

9. Ce soir les étoiles sont bien visibles dans le ciel. Et demain soir?

   _____

10. Aujourd'hui nous nous levons de bonne heure. Et lundi matin?

    _____

▪ EXERCICE D

Formez des phrases au futur avec les sujets indiqués:

1. commencer en septembre   (l'année scolaire)

   _____

2. vouloir voir les monuments historiques   (je)

   _____

3. venir avec nous?   (qui)

   _____

4. guérir vite   (vous)

   _____

5. comment s'amuser?   (ils)

   _____

6. avoir des jambes longues   (cet enfant)

   _____

7. mettre les hors-d'œuvre sur la table   (tu)

   _____

8. à quelle heure sonner?   (la cloche)

_____

9. aller au cinéma après le dîner   (nous)

_____

10. acheter du parfum en France   (notre sœur)

_____

_____

■ **EXERCICE E**

_____

Donnez les équivalents en français:

1. You will win the prize.

_____

2. I won't lose anything.

_____

3. Will it rain tonight?

_____

4. Nobody will see you.

_____

5. I will call my lawyer.

_____

6. What will you (familiar) choose?

_____

7. How will they be able to forget?

_____

8. We will get up.

_____

9. I won't cry.

_____

10. Will you know how to build it?

_____

_____

EXERCICE F

_____

Répondez par des phrases complètes:

1. Est-ce qu'on mangera les hors-d'œuvre au commencement ou à la fin du dîner?

_____

2. Que ferez-vous tous pendant que je travaillerai dans le jardin?

_____

3. Combien de personnes y aura-t-il sur le bateau?

_____

4. Quand le beau temps reviendra-t-il?

_____

5. Est-ce que ces vaches donneront peu ou beaucoup de lait?

_____

6. Combien de semaines passeras-tu au Mexique?

_____

7. Quand pourra-t-on visiter le musée d'art moderne?

_____

8. À quelle heure serez-vous à l'aéroport?

_____

9. Quels fruits achètera-t-elle au supermarché?

_____

10. Quand est-ce que je saurai ta réponse?

_____

RÉVISION 5

A. Listening Comprehension

Listen to your teacher read twice a situation in English followed by a related statement in French. After the second reading, circle the letter of the best suggested reaction in English to the French statement:

1. a. The elevator is quite crowded.
   b. Bill frequently visits other people in the house.
   c. His neighbors have a large apartment.
   d. He sometimes hears the people in the next apartment.

2. a. Mrs. Thomas wants to be sure the soup is hot.
   b. She likes to have nothing left on the plate.
   c. She wants to teach her daughter good manners.
   d. The child is starved.

3. a. The boys are preparing to meet.
   b. Roger is taller than Bruce.
   c. School is not yet over.
   d. Roger has a new bicycle.

4. a. The theater was very crowded.
   b. It looks like rain.
   c. There were many fine actors in the play.
   d. The weather is clear.

5. a. Edith hesitates to go to the beach.
   b. She is a surface swimmer.
   c. Edith likes to imitate a submarine.
   d. She is a champion swimmer.

6. a. It is obvious that Mr. Brunot has given a fine address.
   b. The speaker is proposing a toast.
   c. Everyone enjoyed the meal.
   d. Mr. Brunot is not feeling too well.

7. a. It's a dreary day.
   b. Her friends need a bath.
   c. They want to get tanned.
   d. Pauline is envious of her friends.

8. a. They have found the leak.
   b. Rain is predicted.
   c. There is a hole in the wall.
   d. The entrance is blocked.

9. a. She is going to the supermarket.
   b. She is very charitable.
   c. She spends too much money.
   d. She is going shopping.

10. a. There is a time zone change.
    b. There is a passenger missing.
    c. A delay is inevitable.
    d. There has been an accident.

B. *Répondez en imitant le modèle:*

   EXEMPLE: Aujourd'hui il visite le Louvre. Et hier?
            Hier il a visité le Louvre.

1. Aujourd'hui nous mangeons quelque chose de délicieux. Et hier?

   _____

2. Aujourd'hui il ne pleut pas. Et hier?

   _____

3. Aujourd'hui notre tante reste à la maison. Et hier?

   _____

4. Aujourd'hui je prends un jus d'orange. Et hier?

   _____

5. Aujourd'hui le ciel devient gris. Et hier?

   _____

6. Aujourd'hui Mme Verrier achète un litre de lait. Et hier?

_____

7. Aujourd'hui nous ne partons pas ensemble. Et hier?

_____

8. Aujourd'hui Alain met ses lunettes de soleil. Et hier?

_____

9. Aujourd'hui je ne fais rien. Et hier?

_____

10. Aujourd'hui les trains arrivent à l'heure. Et hier?

_____

C. _Choisissez l'expression convenable:_

1. Les danseurs partent (de, de la) Russie.
2. Il y a des (vaches, dos) qui traversent la route.
3. Le journaliste (a, est) revenu me parler.
4. Cette maison a plus de huit (toits, pièces).
5. On parle français dans des parties (de, de la) Belgique.

D. _Complétez chaque phrase avec la forme convenable de l'imparfait ou du futur:_

1. Je vous vois maintenant, mais est-ce que je vous _____ demain?

2. Qu'est-ce que vous _____? — Je n'étudiais rien.

3. Le semaine dernière, nous sommes allés à la montagne. La semaine prochaine,

   nous _____ à la plage.

4. Que mangiez-vous? — Je _____ une prune.

5. Est-ce qu'il pleuvait ce matin? — Non, mais il _____ très froid.

6. Je ne peux pas vous parler maintenant. _____-vous me parler
   plus tard?

7. Nous voyons rarement le facteur. Le mois dernier, nous le _____ tous les jours.

8. Vous ne savez pas encore la vérité? Quand la _____-vous?

9. Si je lui donne le cadeau maintenant, qu'est-ce que je lui _____ plus tard?

10. Est-ce que tu fermais la porte? — Au contraire, je l'_____.

11. Si vous n'aviez pas l'argent, quelle autre personne l'_____?

12. Yves est déjà revenu? — Non, on dit qu'il ne _____ pas avant ce soir.

13. Quand j'_____ enfant, j'aimais jouer dans le parc.

14. Jacques n'a pas le temps de nous appeler aujourd'hui. Il dit qu'il nous _____ demain.

15. Il n'y a pas assez de glace maintenant, mais il y en _____ plus dans une heure.

E. *Donnez le mot convenable pour compléter la phrase:*

1. À quelle heure es-tu arrivée _____ Versailles?

2. Où _____-vous né, monsieur?

3. Généralement, je lis le journal chaque matin, mais ce matin je ne l'ai pas encore

_____.

4. Quand ils sont _____ New York, les touristes visitent la Statue de la Liberté.

5. Qui est entré? — Louise et Hélène sont _____.

F. *Complétez les phrases en français:*

1. (In France) _____, le 14 juillet, c'est la fête nationale.

2. (She remained) _____ aussi jeune qu'avant.

3. (Africa) Marseille est le centre d'un commerce considérable avec _____.

4. (seen) Avez-vous jamais _____ un cyclone?

5. (of Paris) De cette fenêtre, on a une belle vue sur les toits _____.

G. *Répondez par des phrases complètes en employant les mots indiqués:*

1. À quelle heure David est-il revenu de la bibliothèque?   (cinq)

   _____

2. Quel est le premier pays du monde pour la production des vins?   (France)

   _____

3. Vous habillez-vous l'après-midi?   (le matin)

   _____

4. Où la vie est-elle agréable?   (Paris)

   _____

5. Es-tu entrée par la porte de devant?   (la porte de derrière)

   _____

6. Quelle province est située sur la Manche?   (Normandie)

   _____

7. Où vos amis sont-ils nés?   (Italie)

   _____

8. Dans quelle pièce vous couchez-vous?   (chambre)

_____

9. Qu'est-ce qui est tombé?   (deux oranges)

_____

10. Est-ce que l'avion pour Londres est déjà parti?   (non)

_____

H. Incomplete Dialog

A brief setting introduces this conversation between two speakers. After reading carefully the setting and all the lines, give in a complete sentence a suitable response to each question or statement. Use the words in parentheses as guides for your answers:

C'est la fin de l'année scolaire, et les étudiants sont sur le point de partir en vacances. Monique parle à Louis.

1. Monique: Tu feras quelque chose d'intéressant cet été?
   Louis: (aller à la plage)

_____

2. Monique: Moi, aussi, j'aime la plage. Toute la famille y va?
   Louis: (parents, sœur, un ami)

_____

3. Monique: Vous y resterez longtemps?
   Louis: (passer seulement deux semaines)

_____

4. Monique: Comment est le climat en août sur cette plage?
   Louis: (faire doux, faire frais)

_____

5. Monique: Alors, de quelle sorte de vêtements aura-t-on besoin?
    Louis: (légers, chauds)

I. Creating New Words

To find the answers to the two questions below, add a letter in the space before each word to create a new French word. Then read the letters down, and you will discover the answers to the questions:

Quel mois Sylvie aime-t-elle le moins?

— ai

— voir

— entrer

— on

Qu'est-ce que Daniel a oublié?

— avoir

— près

— ou

— une

— au

— leur

J. *Write the letter of the word in Column B most closely related to the word in Column A:*

A   B

____ 1. actrice   **a.** train

                             b. meuble

____ 2. peintre   **c.** cinéma

                             d. rideaux

____ 3. laver   **e.** tableau

                             f. écrivain

____ 4. gare   **g.** fruit

                             h. dent

____ 5. légume   **i.** pomme de terre

                             j. savon

____ 6. viande   **k.** boucher

____ 7. fauteuil

____ 8. roman

____ 9. fenêtre

____ 10. bouche

____ 11. pêche

K. *Après avoir étudié les images, complétez les phrases:*

1.

Quand j'ai rencontré Olivier, il _____
une banane.

2.

Quel temps fera-t-il demain?

On dit qu'il _____.

3.

Dans quelle ville Christine est-elle née?

Elle est née _____.

4.

Qu'est-ce qui est tombé?

Des _____.

5.

Que faisaient ces hommes le dimanche?

Ils _____.

6.

De quel pays les Smith sont-ils venus?

Ils sont venus _____.

7.  Maintenant ils visiteront _____.

8.  Jules a _____ la bouche.

9.  Le plus gros de ces animaux

est _____.

10.  Jocelyne mettra _____ sur l'enveloppe.

11.  Que faisais-tu pendant que je dormais?

Je _____ dans la rivière.

12.

Dans ce musée, on pourra voir

de beaux _____.

13.

Quand nous sommes sortis, il _____.

14.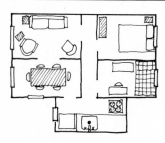

Combien de _____ y a-t-il dans votre
appartement? Il y en a cinq.

15.

Quand Antoine voulait poser une question,

il a _____.

L. Scrambled Word Game

Choose a French word that you have learned in a recent lesson. Write the
word in your notebook and scramble the letters. For example:

v a c h e   h a v e c

*The object of this game is to have the other members of the class guess the
word you have chosen. Your teacher begins the game by writing a scrambled*

word on the board. The first student to guess the correct word then goes to the board, and the same procedure is followed so that many students have the opportunity to present their words.

M. Reading Comprehension

Read carefully each of the following passages. Guess the meaning of new words from their use in the passages and from recognizable English cognates. Then complete the exercises that follow:

1. Un jour, après les classes, Henri et son ami Henriette font une longue promenade dans la ville. Maintenant, fatigués, ils sont prêts à retourner à la maison. Henriette cherche dans sa poche. Tout à coup, elle pose cette question à Henri:
— Quelle différence y a-t-il entre un taxi et un autobus?
Henri hésite un moment, puis il répond:
— Je ne sais pas.
— Ah bon! dit Henriette. Alors nous allons prendre l'autobus.

Choisissez la réponse convenable:

Il est évident qu'Henriette décide de prendre l'autobus
a. parce que les autobus vont plus vite que les taxis.
b. parce que son ami préfère l'autobus.
c. parce qu'on paie moins cher dans un autobus.
d. parce qu'une différence n'existe pas.

2. Le Canada est un pays bilingue avec deux langues officielles: l'anglais et le français. Le français est la langue principale de la province de Québec. Dans les autres provinces, la plupart (*most*) des habitants parlent anglais.

C'est aussi un pays multiculturel, c'est-à-dire que les Canadiens sont encouragés à préserver leur culture d'origine. La diversité culturelle est une des caractéristiques fondamentales du Canada depuis (*since*) le commencement de son histoire. La Constitution garantit à tous (*everyone*) des droits et des libertés sans discrimination basée sur leur race, leur couleur, leur âge, leur religion ou leur sexe.

Au Canada, la coexistence de plusieurs cultures est un style de vie et un idéal pour tous. Dans l'intérêt de l'unité nationale, on a créé (*created*) de nombreux programmes pour encourager des relations interraciales et la promotion des échanges culturels. Le gouvernement veut que les Canadiens vivent en harmonie malgré leurs origines diverses.

Le respect des langues officielles, des cultures et des droits fondamentaux crée dans la société canadienne cet esprit de grande tolérance qui lui donne un visage profondément humain.

Répondez par des phrases complètes:

a. Quelles sont les deux langues officielles du Canada?

_____

b. Quelle est la langue de la plus grande partie de la population?

_____

c. Dans quelle région préfère-t-on l'autre langue?

_____

d. À qui est-ce que le gouvernement garantit des droits personnels?

_____

e. Y a-t-il une religion officielle dans ce pays?

_____

f. Comment le gouvernement montre-t-il son respect pour les diverses cultures?

_____

g. Quelle sorte d'atmosphère veut-on créer dans la société du pays?

_____

3. Voyez-vous ce train extraordinaire? C'est le TGV — le train à grande vitesse (*speed*). Comme un dragon orange, il attend impatiemment à la gare. Ses phares (*headlights*) ressemblent aux yeux d'un monstre rouge qui veut partir pour Lyon. On a remplacé l'élégance par la vitesse. C'est le train le plus rapide du monde.

Les passagers ne sont pas des étrangers mystérieux. Au contraire, la plupart des passagers sont des hommes d'affaires (*business*) comme les personnes qui voyagent en avion pour arriver vite à leur destination. On sert des repas comme les repas d'avion. C'est un train climatisé (*air-conditioned*), et on sépare les fumeurs (*smokers*) des non-fumeurs. Ce train fait le voyage entre Paris et Lyon en deux heures, et cela ne coûte pas plus cher que les voyages dans les autres trains. Il y a peu de bruit, peu de pollution et beaucoup de calme.

On passe, à une vitesse surréelle, des voitures, des vaches, des champs, des maisons de ferme. La technologie moderne a créé une révolution dans le transport.

Il y a deux classes dans le TGV, et la réservation est obligatoire pour garantir à tous les voyageurs une place assise. Le jour de votre départ, arrivez quelques minutes en avance pour prendre tranquillement votre place.

Choose the correct answer:

a. What makes the TGV different from other trains?
    a. The artistic furnishings.
    b. The amount of traveling time.
    c. The beautiful exterior.
    d. Its old-fashioned appearance.

b. To what is the train compared in appearance?
    a. To an airplane.
    b. To a profitable business venture.
    c. To an abnormal creature.
    d. To a mystery.

c. Why do most passengers take this train?
    a. They save time.
    b. The quality of the meals is superior.
    c. The fare is very low.
    d. Smoking is permitted.

d. Which of these statements does *not* apply to the TGV?
    a. The ride is smooth.
    b. There may not be enough seats for all passengers.
    c. It attracts businessmen.
    d. Passengers are urged to arrive early.

4. Un matin, deux élèves arrivent en retard à l'école. Un des élèves est le favori du professeur.

— Pourquoi arrivez-vous à cette heure-ci? demande le professeur à son élève préféré.

— Excusez-moi, monsieur, mais je dormais. Je rêvais (*was dreaming*) que je partais pour l'Amérique. C'est la cloche de l'école qui m'a réveillé.

— Bon, je vois que avez le goût (*taste*) des voyages. Allez à votre place.

Maintenant le professeur, visiblement irrité, s'adresse au second élève:

— Et vous, quelle excuse avez-vous?

— Moi, monsieur, répond l'enfant d'un air innocent, j'étais avec lui. Je l'aidais à porter ses bagages!

Complete the paragraph:

The teacher's favorite was late because he _____.

He dreamt he _____.

What woke him was the _____.

The second pupil's excuse is that he _____.

5. On dit que la science n'a pas de nationalité. Dans l'histoire de la science, il y a beaucoup de savants (*scientists*) français qui ont contribué au développement de la science du monde. Un des plus grands personnages français, qui, par ses découvertes (*discoveries*) a révolutionné l'existence humaine, est Louis Pasteur.

Louis Pasteur (1822–1895) est né dans l'est de la France, près de la Suisse. À l'âge de vingt ans il va à Paris pour étudier et devient plus tard docteur ès sciences (*doctor of sciences*).

Ses découvertes sur les microbes sont à l'origine d'une science nouvelle, la chimie (*chemistry*) biologique. Il invente la «pasteurisation» pour la conservation du lait. Avec ses découvertes, Pasteur a créé une révolution dans l'hygiène, la médecine, la chirurgie (*surgery*), l'agriculture, et la manufacture du vin et de la bière. Ses découvertes ont sauvé aussi l'importante industrie de la soie.

Pasteur n'est jamais devenu médecin, mais la médecine d'aujourd'hui et les hôpitaux modernes ont beaucoup profité de ses expériences (*experiments*). C'est lui qui a créé l'idée fondamentale de la médecine préventive en employant l'inoculation contre les maladies infectieuses. Mais sa découverte la plus dramatique est probablement la vaccination contre la rage (*rabies*), une maladie virulente des animaux.

Par ses grandes découvertes scientifiques et médicales, Pasteur est le bienfaiteur (*benefactor*) de l'humanité. Aujourd'hui l'Institut Pasteur continue l'œuvre immense de la microbiologie.

Vrai or faux?

a. Pasteur a contribué au développement de l'agriculture. _____

b. Ses travaux ont eu une influence énorme sur la vie de tous les jours. _____

c. Pasteur était un médecin extraordinaire. _____

d. Ses découvertes ont causé une révolution dans la médecine et la chirurgie. _____

e. Il a laissé à la postérité un meilleur monde. _____

Complétez les phrases:

a. L'action qui détruit les microbes dans le lait s'appelle la _____.

b. Pasteur a créé une nouvelle science, la chimie _____.

c. Il a sauvé l'industrie de la _____.

d. Pasteur a découvert le vaccin contre la _____, une maladie infectieuse des animaux.

e. L'établissement scientifique qui porte le nom de ce grand savant est

_____.

6. La création de l'Organisation des Nations Unies en 1945 a marqué la naissance (*birth*) d'une période nouvelle dans les relations internationales. Les États fondateurs ont adopté la Charte des Nations unies et son système de coopération internationale. On a créé cette organisation globale pour faciliter le dialogue entre nations.

Les Nations unies représentent une force sociale, économique et politique, en faveur de la paix, de l'harmonie et de la sécurité pour tous les pays, grands et petits. Elles favorisent le progrès social et elles désirent éliminer les causes de la guerre et créer un meilleur monde pour préserver les générations à venir. Le succès de cette communauté internationale dépend presqu'entièrement des actions et des décisions des États membres.

Quand on considère tous les problèmes qui existent, l'opposition d'intérêts, les rivalités politiques, l'antagonisme entre certaines nations, il est évident que c'est une entreprise très difficile. Espérons (*Let us hope*) que des solutions sans violence seront toujours possibles.

1. Voici un des objectifs importants de l'ONU: encourager le dialogue entre toutes les nations. Nommez trois autres objectifs de cette organisation:

   a. _____

   b. _____

   c. _____

2. Nommez deux facteurs qui opposent les bonnes relations internationales:

   a. _____

   b. _____

7. Une île magique

Dans le cœur de la mer des Caraïbes (*Caribbean*), pas loin des États-Unis, il y a deux îles françaises: La Martinique et la Guadeloupe. En 1635, la France a occupé ces deux îles.

C'est Christophe Colomb qui a découvert la Martinique en 1502. Elle est devenue un département de la France en 1946. La première femme de Napoléon, l'impératrice (*empress*) Joséphine, y est née.

La Martinique est une île volcanique, dominée par la montagne Pelée. L'éruption de ce volcan en 1902 a causé beaucoup de destruction. La célèbre baie de Fort-de-France, la capitale administrative, commerciale et culturelle est une des plus belles du monde.

Quelles sont les ressources principales de cette île au climat tropical? Ce sont la canne à sucre, le rhum et les fruits tropicaux, surtout les bananes et les ananas (*pineapples*). Le tourisme, aussi, joue un rôle important dans l'économie.

La Martinique est une île aux visages multiples, une île de contrastes. Les visiteurs y découvrent une étonnante variété de fleurs, de plantes et de couleurs. On y voit des forêts vertes et des roches volcaniques dans le Nord, de longues plages de sable (*sand*) blanc bordées de palmiers (*palm trees*) au Sud, de nombreuses fermes avec des vaches et des moutons (*sheep*) et des villages pittoresques de pêcheurs (*fishermen*). C'est une île idéale pour les personnes en vacances qui désirent pratiquer les sports nautiques.

Tous ces éléments variés composent une harmonie magique qui invite des touristes du monde entier.

Choisissez les réponses convenables:

a. Le climat de la Martinique est généralement
   a. frais   b. doux   c. froid   _____
b. Un adjectif qui décrit bien la végétation de cette île est
   a. monotone   b. jaune   c. variée   _____
c. Un de ses produits importants est
   a. le sucre   b. la soie   c. le vin   _____
d. La Martinique n'est pas très loin de
   a. l'Europe   b. l'Asie   c. l'Amérique   _____
e. Dans la partie nord de l'île, on trouve
   a. une région volcanique.   b. de belles plages
   c. beaucoup de palmiers   _____

Vrai ou faux?

a. La Martinique est une île indépendante. _____

b. Le plus grand nombre des habitants sont des pêcheurs. _____

c. Pelée, dans la baie de Fort-de-France, contribue à la beauté de la plage. _____

d. Les habitants dépendent du tourisme pour aider leur économie. _____

8. Before the French Revolution of 1789, France was divided into provinces, each with its own customs and traditions. Today France is divided into **départements,** but people still refer to many of the old provinces. One such province is **la Normandie** (*Normandy*):

La Normandie est une région fertile de fermes et de pâturages (*pastureland*). Elle est située au nord-ouest de la France, sur la Manche, ce large bras de mer formé par l'Atlantique entre la France et l'Angleterre.

On y trouve des ports de commerce importants. Le Havre est le plus grand de ces ports. Il y a aussi, le long des côtes normandes, des plages célèbres. La ville de Rouen, l'ancienne capitale de la province, est un port intérieur dans la vallée fertile de la Seine et un des grands centres industriels. La Seine, le fleuve le plus navigable et le plus important au point de vue commercial, passe par Paris, traverse la Normandie, et se jette (*empties*) dans la Manche près du Havre.

La Normandie est une région laitière (*dairy*) très riche. On y produit une grande quantité de beurre et de fromages. Le plus célèbre de ces fromages est le camembert.

La Normandie est associée aussi à deux événements historiques: la conquête de l'Angleterre en 1066 par le duc de Normandie, Guillaume le Conquérant, et l'invasion du continent par les forces alliées pendant la deuxième guerre mondiale.

Vrai ou faux?

a. La Seine prend sa source en Normandie. _____

b. La terre normande est très fertile. _____

c. Il y a peu d'industrie en Normandie. _____

d. La Manche est un fleuve normand. _____

e. Rouen, sur la Seine, est l'ancienne capitale de la Normandie. _____

Complétez les phrases:

a. Le _____ est un fromage normand délicieux.

b. En 1066, Guillaume le Conquérant, duc de Normandie, a attaqué _____.

c. Le port le plus important sur la Manche est _____.

d. L'industrie laitière produit beaucoup de lait, de _____ et de fromages.

e. Sur la Manche, il y a des ports modernes et des _____ célèbres.

N. Sing-Along: «Ma Normandie»

Now that you are acquainted with **la Normandie,** here is a well-known popular song you will enjoy singing. It expresses the sentimental attachment the people feel for their birthplace, especially as hope is reborn in the spring, when the landscape starts to turn green.

Quand tout renaît à l'espérance
Et que l'hiver fuit loin de nous,
Sous le beau ciel de notre France,
Quand le soleil revient plus doux,

Quand la nature est reverdie,
Quand l'hirondelle est de retour,
J'aime à revoir ma Normandie:
C'est le pays qui m'a donné le jour.

VOCABULAIRE

renaît	*is reborn*
l'espérance	*hope*
fuit	*flees*
est reverdie	*grows green again*
l'hirondelle est de retour	*the swallow is back*
le jour	*daylight*

After studying the meaning of the words and repeating them after your teacher, sing the song several times until you know it well.

Ma Normandie

Paroles de F. BÉRAT (1801-1855)
sur un air populaire.

Modéré et avec sentiment

1. Quand tout re-naît à l'es-pé-ran-ce Et que l'hi-ver fuit loin de nous, Sous
2. J'ai vu les champs de l'Hel-vé-ti-e Et ses cha-lets et ses gla-ciers, J'ai
3. Il est un â-ge dans la vi-e Où cha-que rê-ve doit fi-nir, Un

le beau ciel de no-tre Fran-ce, Quand le so-leil re-vient plus doux, Quand
vu le ciel de l'I-ta-li-e Et Ve-nise et ses gon-do-liers; En
â-ge où l'â-me re-cueil-li-e A be-soin de se sou-ve-nir. Lors-

la na-ture est re-ver-di-e, Quand l'hi-ron-delle est de re-tour, J'aime
sa-lu-ant cha-que pa-tri-e, Je me di-sais: Au-cun sé-jour n'est
-que ma mu-se re-froi-di-e Au-ra fi-ni ses chants d'a-mour, J'i-

à re-voir ma Nor-man-di-e: C'est le pa-ys qui m'a don-né le jour!
plus beau que ma Nor-man-di-e: C'est le pa-ys qui m'a don-né le jour!
-rai re-voir ma Nor-man-di-e: C'est le pa-ys qui m'a don-né le jour!

Mastery Exercises

Here is your opportunity to find out how well you have mastered the basic elements of the French language. These elements are the foundation on which you will continue to build in the future.

A. *Choisissez l'expression convenable:*

1. Nous avons passé une (demi-, demie-) heure dans le bois.
2. (Que, Qu'est-ce que) Louise veut faire samedi soir?
3. (Pâques, Noël) est une fête religieuse du printemps.
4. Ils ont traversé (de, des) longues avenues.
5. Gérard sait lire (russe, le russe)?
6. Y a-t-il un parc (de, à) l'autre côté de l'hôpital?
7. Tu as soif? Voici (du pain, de l'eau).
8. Quand vas-tu (prendre, faire) ce voyage?
9. Non, madame, nous n'avons pas (des, de) gâteaux aujourd'hui.
10. Antoinette expliquera (le, la) mieux cette théorie.
11. (Qu'est-ce qui, Qu'est-ce qu') est tombé?
12. (Comment, Que) vous êtes intelligente!
13. Cette cravate bleue et cette chemise verte ne vont pas bien (partout, ensemble).
14. Voici le roman (que, qui) vous m'avez prêté.
15. Est-ce que Virginie danse (mieux, meilleure) que moi?
16. — Combien de doigts a-t-on? — On (y, en) a dix.
17. Il met (sa vérité, son mouchoir) dans la poche de derrière.
18. (Qu'est-ce que, Qu'est-ce qui) les Français prennent au petit déjeuner?
19. Si vous ne comprenez pas la leçon, (demandez, posez) des questions.
20. Y a-t-il une grande différence de (prix, paix) entre ces deux parfums?

B. *Donnez deux équivalents en anglais:*

1. lit   _____   _____

2. temps   _____   _____

334

3. été   _____   _____

4. livre   _____   _____

5. est   _____   _____

6. neuf   _____   _____

7. glace   _____   _____

8. garçon   _____   _____

9. aussi   _____   _____

10. serviette   _____   _____

C. *Donnez les mots convenables pour compléter les phrases:*

1. Est-_____ le soleil ou la lune?

2. — Merci bien, Ernest. — Il n'y a pas de _____.

3. — Avez-vous des billets? — Oui, nous _____ avons.

4. Il était sept heures _____ matin.

5. — Est-ce que j'ai oublié quelque chose? — Non, tu n'as _____ oublié.

6. Je n'ai pas de stylo. Je vais écrire _____ crayon.

7. Nous mangeons peu _____ beurre.

8. — Qui grondez-vous? — Je ne gronde _____.

9. Parliez-vous de ce tableau-_____ ou de ce tableau-là?

10. L'avocat a lu le paragraphe à haute _____.

11. — Elle a assez de sucre? — Oui, elle _____ a trop.

12. Les habitants de l'Allemagne parlent _____.

13. Mille et mille font _____.

14. Janvier est le premier mois de l'année; mai est le _____ mois.

15. — Où sont mes papiers? — _____ voilà.

16. C'est _____ onzième fois qu'ils ont voyagé en Europe.

17. Pourrez-vous me prêter un million _____ francs?

18. Mieux vaut _____ que jamais.

19. Les vêtements de coton sont _____ légers que les vêtements de laine.

20. C'est le peintre le plus célèbre _____ monde.

21. — Henri, remplis ce verre, s'il te plaît. — Mais je l'ai déjà _____.

22. — Pleut-il souvent ici? — Non, mais il a _____ hier.

23. Antoine, va à l'école. _____-y vite!

24. Nous avons apporté quelque chose _____ joli pour toi.

25. Laurent parlait peu. Il ouvrait rarement la _____.

26. Si vous avez _____ aux dents, téléphonez au dentiste.

27. Je quitte la bibliothèque à onze heures et demie et arrive chez moi quinze minutes plus tard. J'y arrive à midi _____.

28. Oui, Henri est un bon ami, mais Claude est mon _____ ami.

29. — Tu es paresseux ce matin? — Pas du _____.

30. Ne restez pas debout. _____-vous.

31. Il est tard, Julien. Réveille-_____.

32. — Pouvez-vous ouvrir ce tiroir? — Voilà, je l'ai _____.

33. Regarde-moi dans les yeux quand je _____ parle!

34. _____ printemps, l'herbe devenait verte.

35. Vous avez de l'influence sur eux. _____, je n'en ai pas.

D. *Dans chaque série, changez la première phrase en substituant les mots indiqués aux mots en caractères gras. Faites tous les changements nécessaires:*

1. Ce **climat** était très doux.

   _____ pêche _____.

2. L'Américain visitera tout **le** château.

   Les _____ les _____.

3. Cette **cravate** est presque neuve.

   _____ chapeaux _____.

4. Montre-moi **ton** nouveau **bijou**.

   _____ votre _____ voiture.

5. **Aujourd'hui** je vois un vieux **film**.

   Hier _____ ami.

6. **Il** achète un gros **poisson**.

   Nous _____ pommes.

7. Cet élève **est** toujours attentif.

   _____ écoute _____.

8. **Ils** ne veulent pas les **voir**.

   Je _____ obéir.

9. **Je** suis resté longtemps en **France**.

   Les sœurs _____ États-Unis.

10. Quand **nous** savons la réponse, nous levons la main.

   _____ on _____.

11. **Ils** commencent quand tous **les invités** sont arrivés.

   Nous _____ le monde _____.

12. Cinq **et** deux cents font deux cent cinq.

   _____ fois _____.

13. Qui était derrière le bureau? C'était **Martin**.

   _____? _____ une chaise.

14. Quelle belle **maison** vous avez!

   _____ appartement _____!

15. **Elle** revient avec un **chapeau** blanc.

   Elles _____ robes _____.

E. *Complétez les phrases en employant une expression avec les mots indiqués:*

1. (chaud)   Il _____ dans le sud de ce pays.

2. (couleur)   _____ sont les murs de la salle de séjour?

3. (peur)   Mon petit frère _____ chiens.

4. (penser)   Tous les jours, je _____ toi.

5. (s'appeler)   Comment cette actrice _____?

6. (marché)   Ces rideaux n'étaient pas chers. Au contraire, ils étaient

_____.

7. (plus)   Est-ce que Roger est _____ actif _____ vous?

8. (être)   — C'est votre voiture? — Non, elle _____ M. Giraud.

9. (coup)   _____, nous avons entendu un bruit bizarre.

10. (mal)   Jeanne _____ oreille.

11. (bateau)   La famille partira _____.

12. (besoin)   Mais oui, on _____ air propre pour vivre.

F. *Choisissez le mot ou l'expression qui complète correctement la phrase:*

1. David est _____ tard.
   a. mangé   b. étudié   c. rentré   d. répondu

2. _____ attendiez-vous?
   a. Qu'   b. Lui   c. Qu'est-ce qui   d. Qu'est-ce qu'

3. Ils ont décidé de rester en _____.
   a. Canada   b. Lyon   c. Amérique   d. Mexique

4. Posez-_____ vos questions.

    a. eux   b. lui   c. elle   d. les

5. Brigitte _____ gagner le prix.

    a. rend   b. a   c. entend   d. peut

6. Nous allons partir maintenant. _____

    a. À l'heure.   b. À bientôt.   c. Ce soir.   d. À temps.

7. On viendra à _____.

    a. voiture   b. pied   c. métro   d. avion

8. Pierre l'a fait malgré _____.

    a. lui   b. tu   c. leur   d. les

9. _____ est une partie du corps.

    a. La vie   b. L'essence   c. La pendule   d. Le visage

10. Ne partez pas _____ nous.

    a. entre   b. vers   c. sans   d. par

11. C'est un _____ arbre, n'est-ce pas?

    a. beau   b. vieil   c. vert   d. européen

12. Quand allez-vous faire _____?

    a. sommeil   b. attention   c. chaud   d. besoin

13. C'est aujourd'hui le _____ novembre.

    a. deuxième   b. milieu   c. premier   d. dernier

14. Où est Dominique? — Il est _____.

    a. dans le plafond   c. autour de la cuiller
    b. jusqu'à l'hôtel   d. en haut

15. Nous en avons _____.

    a. plusieurs   b. pu   c. du savon   d. patiné

G. *Répondez par des phrases complètes:*

1. Nous tournons autour d'une étoile qui nous donne de la lumière. Quelle est cette étoile?

   _____

2. On donne cet argent au garçon à la fin du repas. Comment appelle-t-on cet argent?

   _____

3. De l'eau tombe du ciel. Quel temps fait-il?

   _____

4. Nous voulons envoyer ces lettres à Jocelyne. De quoi avons nous besoin?

   _____

5. Pour voir bien, elle porte une paire de verres sur le nez devant les yeux. Qu'est-ce qu'elle porte?

   _____

6. Jean préfère le premier repas du jour. Quel repas préfère-t-il?

   _____

7. Nous aimons la saison après l'automne. Quelle saison aimons-nous?

   _____

8. C'est la partie de la tête entre le nez et le menton. Comment s'appelle-t-elle?

   _____

9. On met du jus de ce fruit jaune dans son thé. De quel fruit parle-t-on?

   _____

10. Georges ne veut pas écrire sa lettre à la main. Il cherche sa machine. Quelle machine cherche-t-il?

   _____

11. C'est la partie du jour entre minuit et midi. Comment l'appelle-t-on?

_____

H. *In each of the following sentences, one French word or expression is used.*
Show your understanding of its meaning by choosing the word or phrase needed
to complete the sentence:

1. A person who is **gentil**, (is quite selfish, is deeply religious, treats others with respect, avoids crowds).
2. Where there is a **trottoir**, you generally see (horses, flowers, fish, people).
3. **Bois** is used to make some of the finest (lace, furniture, meals, carpets).
4. When I do something **tout de suite**, (I know the weather will change, I don't waste time, I enjoy the leisurely pace, I take off my shoes).
5. You won't need a **cuiller** since (there is no soup, the bread is already sliced, the day is warm, the rain has stopped).
6. An **œil** is used mainly for (chewing, sitting, seeing, hearing).
7. A **cloche** can generally be (erased, rung, eaten, filled).
8. You expect to find several **coins** (in a room, in a fountain, in a park, on the beach).
9. When we heard there was a **voleur** next door, we (shut off the water, hid our valuables, brought in the sandwiches, put stamps on our letters).
10. We go to the **gare** to (get the train, park our car, skate, call the police).
11. They bought a **tapis** to (light the room, hear good music, clean the windows, cover the floor).
12. When I noticed that the cup was **vide**, I (threw it out, emptied it, refilled it, repaired it).
13. Her **santé** is improving because she (goes to all the museums, exercises regularly, is mastering the vocabulary, leaves on time).
14. If you prefer to **nager**, (you will gain weight, let's go to the beach, you must light the fire, let's visit a department store).
15. Paul brushes his **cheveux** every day because (he's proud of his appearance, he cares for his horses, he likes a clean room, brushing removes scuff marks).
16. To see the **étoiles**, I (turn on all the lights, remove the tag, go out at night, buy a ticket).
17. Every day the soldiers (ate, raised, listened to, sang) the **drapeau**.
18. Françoise chose a fine **soie** to make a (blouse, fruit cup, punch, tray).
19. Their favorite pastime is **la lecture** because they enjoy (hearing music, reading books, participating in sports, listening to speakers).
20. We could tell the stone was **lourd** since (it had been imported, it was pale blue, he could hardly lift it, it glittered in the dark).

I. *Each of the following items consists of a pair of related words followed by the first word of the second pair, related in the same way. Complete each of the second pairs by supplying the suitable word:*

EXEMPLES: jour : nuit :: midi : minuit
livres : bibliothèque :: timbres : poste

1. Italie : italien :: Espagne : _____

2. commencement : fin :: guerre : _____

3. soupe : assiette :: thé : _____

4. Angleterre : Londres :: pays : _____

5. raisin : pomme de terre :: fruit : _____

6. vrai : faux :: assis : _____

7. chapeau : tête :: chaussure : _____

8. bien : mal :: vite : _____

9. entrer : sortir :: se coucher : _____

10. homme : femme :: roi : _____

11. ouvrir : clef :: couper : _____

12. entendre : oreilles : voir : _____

13. plein : vide :: plus : _____

14. salle à manger : pièce :: déjeuner : _____

15. main : bras :: pied : _____

J. Mots Croisés

Écrivez les mots sans accents:

<table>
<tr><td>1</td><td></td><td>2</td><td></td><td>3</td><td></td><td>4</td><td>5</td><td></td><td>6</td></tr>
</table>

(crossword grid with numbered squares: 1, 2, 3, 4, 5, 6, 7, 8, 9, 10, 11, 12, 13, 14, 15, 16, 17, 18, 19, 20, 21, 22)

HORIZONTALEMENT

4. Saison froide.
7. Chemins larges.
8. Quand on ouvre la bouche, on peut voir ses ____.
9. Paul et ____, nous allons en Europe.
10. Je te ____ l'argent que tu m'as prêté.
11. — Mange-t-elle beaucoup? — Au contraire, elle mange très ____.
13. La France produit beaucoup d'____ minérale.
14. Nous demeurons au troisième ____.
18. Elle porte une chaîne de perles autour du ____.
19. Planète où nous habitons.
21. Ils sont beaux et elles sont ____.
22. Le Louvre est le ____ principal de Paris.

VERTICALEMENT

1. Il met du sucre et de la ____ dans son café.
2. Michel, si tu n'obéis pas, on va te ____!
3. Il y a un vocabulaire utile dans chaque ____ de grammaire.
5. Terre au milieu de l'eau.
6. Contraire de **sortir.**
8. Partie du corps.
12. On m'a donné un beau ____ pour mon anniversaire.
14. Après le printemps, c'est l'____.
15. Sont-ils rentrés avant ou ____ nous?
16. Les élèves apprennent beaucoup à l'____.
17. Nord, sud, est, et ____.
20. Une avenue est plus large qu'une ____.

K. Rebus (Play on Sounds and Pictures)

This exercise consists of riddles composed of words or syllables depicted by symbols or pictures that suggest the sound of the words or syllables they represent. Write your solutions in the spaces provided:

EXAMPLE:  = dans deux heures

1. à Jean _____

2. le 15 où _____

3. para _____

4. de _____

5. $\frac{\text{vent}}{\text{très}}$ _____

6. 100 _____

7. j'a _____

8. $\dfrac{\text{je l'ai}}{\text{prix}}$ _____

9. n  _____

10. 10  _____

11. jo 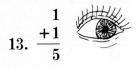 _____

12. t e m p s _____

13. $\dfrac{\begin{array}{r} 1 \\ +\,1 \\ \hline 5 \end{array}}{}$ 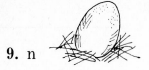 _____

Proficiency Test

1. Speaking

a. Your teacher will award up to 10 points for your oral performance in the classroom.

b. Oral Communication Tasks (20 points)

Your teacher will administer a series of communication tasks. Each task requires at least four utterances on your part, for which you can earn up to 5 points of credit.

An utterance is any spoken statement that leads to accomplishing the stated task. Assume that in each situation you are speaking with persons who speak French.

A. Socializing

I am your cousin and about your age, living out of town. I have accepted an invitation to visit with you and your family. We are meeting for the first time. Let's talk a little about ourselves. I will begin the conversation.

B. Providing and obtaining information

You are interested in going to the movies tonight. You inquire about the film: the title, what it is about, and who is in the cast. You start the conversation.

C. Expressing personal feelings

We are in the same French class. The class is planning to have lunch in a French restaurant. Attendance is purely voluntary. Tell me what you think of the idea and why you do or do not intend to join the group. I will begin the conversation.

D. Persuading others to adopt a course of action

I am a close friend of yours, living near you. You are going into town today. You knock on my door and try to persuade me to go along. You begin the conversation.

2. Listening Comprehension

a. Multiple Choice (English) (20 points)

Part 2a consists of 10 questions. For each question, you will hear some background information in English. Then you will hear a passage in French *twice*, followed by a question in English. After you have heard the question, look at the question and the four suggested answers in your book. Choose the best suggested answer and write its number in the space provided.

1   What does this young person say she enjoys doing?   _____

   1. Keeping cool.
   2. Participating in several sports.
   3. Going swimming.
   4. Hiking in the country.

2   Why does my aunt enjoy being out there?   _____

   1. The surroundings are attractive and peaceful.
   2. The weather is always fine.
   3. She has little else to do.
   4. Her vision is better outside.

3   What does he suggest they do?   _____

   1. Reset the clock.   3. Make a telephone call.
   2. Be calm.   4. Not waste any time.

4   What does Edith think about this apartment?   _____

   1. It is one to inquire about.   3. It is undesirable.
   2. It is already occupied.   4. It will be noisy.

5   What adjective might be applied to this pupil?   _____

   1. Self-conscious.   2. Stupid.   3. Lazy.   4. Selfish.

6 How does this person decide to get to town? _____

    1. By getting a lift.   3. By taking a cab.
    2. By taking the next bus.   4. By walking.

7 Why does Vincent wake up early when he visits Marcel? _____

    1. The sun shines in his eyes.
    2. He hears the birds.
    3. He is very hungry in the morning.
    4. He enjoys working in the fields.

8 What is disturbing our neighbor? _____

    1. He hurt himself yesterday.
    2. His watch isn't going.
    3. He has run out of food.
    4. He has trouble with his eyes.

9 What does this woman intend to buy? _____

    1. A pair of earrings.   3. Gloves.
    2. Two different perfumes.   4. A bag and change purse.

10 When does this scene take place? _____

    1. At night.   3. In the morning.
    2. In the afternoon.   4. In the evening.

b. Multiple Choice (French) (10 points)

Part 2b consists of 5 questions. For each question, you will hear some background information in English. Then you will hear a passage in French *twice*, followed by a question in French. After you have heard the question, look at the question and the four suggested answers in your book. Choose the best suggested answer and write its number in the space provided.

11 Où sont ces quatre personnes? _____

    1. Dans la cuisine.   3. Chez le boucher.
    2. Dans un supermarché.   4. Dans la salle de séjour.

12 Quelle heure est-il quand Charlotte regarde le ciel? _____

    1. Minuit.   3. Midi.
    2. Trois heures de l'après-midi.   4. Six heures du matin.

13 Où sont ces deux touristes? _____

    1. Sur un boulevard.
    2. Sur un bateau.
    3. Dans la rue devant la cathédrale.
    4. Sur un pont.

14 Quel repas Richard commande-t-il? _____

    1. Le dîner.   3. Le souper.
    2. Le petit déjeuner.   4. Le déjeuner.

15 Qu'est-ce que cet homme décide de faire? _____

    1. De téléphoner au bureau.   3. De prendre l'escalier.
    2. De revenir plus tard.   4. D'attendre l'électricien.

c. Multiple Choice (Visual) (10 points)

Part 2c consists of 5 questions. For each question, you will hear some background information in English. Then you will hear a passage in French *twice*, followed by a question in English. After you have heard the question, look at the question and four pictures in your book. Choose the picture that best answers the question and circle its number.

16 What is one of the joys of this time of year?

       1   2   3   4

17 What building is the visitor looking for?

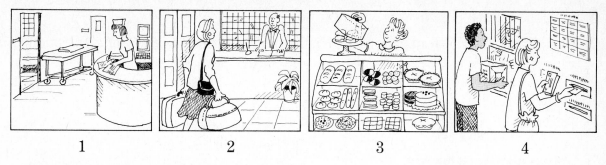

1   2   3   4

18 How is Claire planning to travel?

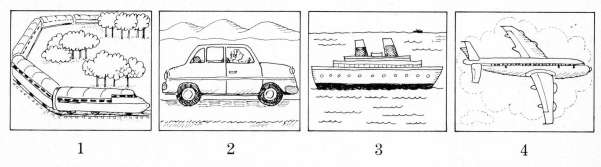

1   2   3   4

19 What is Mrs. Marchand going back to get?

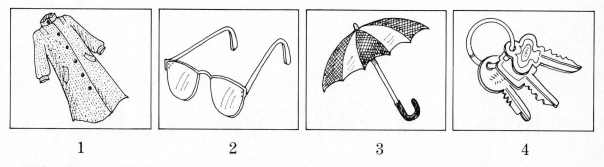

1   2   3   4

20 Where will they be going the next day?

1   2   3   4

3. Reading

a. Multiple Choice (English) (12 points)

Part 3a consists of 6 questions in English, each based on a reading selection in French. Choose the best answer to each question. Base your choice on the content of the reading selection. Write the number of your answer in the space provided.

YVONNE

Spécialiste cartomancie

Une visite vous prouvera ses talents.
Elle vous dira votre passé,
votre présent et votre futur.
Elle vous aidera à surmonter
tous les obstacles:
santé, bonheur, amour, mariage,
affaires, travail etc.
Elle vous donnera les numéros gagnants.

**Ouvert tous les jours.
9h–21h**

VISITES A DOMICILE

(204) 942-6363

---

21 What type of person might be interested in this ad? _____

1. One who works hard.
2. One who is talented.
3. One who seeks help.
4. One who enjoys helping others.

DES BIJOUX
COMME DES
ŒUVRES D'ART

SIGNÉS
NUMÉROTÉS
CATALOGUÉS

*Les bijoux Aristide
sont en vente
exclusivement
dans les
joailleries
Aristide.
Un certificat attestant
leur authenticité
les accompagne.*

---

22 What guarantee is there that the articles sold here are genuine? _____

1. The settings are very artistic.
2. The purchaser receives a signed document.
3. They are listed in the company catalog.
4. The company is well-established.

23 What is the profession of the
person advertising?

1. Lawyer.
2. Accountant.
3. Pharmacist.
4. Government official.

24 Why would this car attract a
buyer?

1. It does not cost much to run.
2. It is roomy and hardly used.
3. It is sporty-looking.
4. It gets excellent mileage.

25 What good reason is there for
using this company?

1. Credit cards are accepted.
2. All materials are noncombustible.
3. The employees are carefully chosen.
4. The work is guaranteed.

RESTAURANT PARIS
Club Atlantique

58, boulevard Alfred-de-Vigny • 92200 Neuilly • Téléphone: 888.22.11

... découvrir ou retrouver le "célèbre buffet d'abondance", la multitude de hors-d'œuvre chauds et froids, le choix de 4 plats de poisson, le plateau de fromages, la ronde des desserts. (Vin blanc, rouge, rosé à discrétion).
Déjeuner d'affaires : 140 F - Dîner traditionnel : 159 F - Le jeudi, dîner aux chandelles avec orchestre d'ambiance : 185 F.

1

les meilleures Viandes de France!...

AU BŒUF GUIRLANDÉ
77 Avenue JEAN JAURÈS   703.60.25

3

LA FAUBOURGEOISE

FACE GARE DE L'EST

Dans un cadre rénové,

vous propose toutes ses spécialités :

Choucroutes, Fruits de mer toute l'année,

Poissons et toujours sa fameuse

Choucroute paysanne, Pâtisseries.

Salons jusqu'à 35 personnes. Repas d'affaires.

9, rue du 8 Mai 1945. Paris 10ᵉ. Réservations : 802.50.39 Tous les jours de 11h à 2h du matin.

2

POMMIER
Tout ce qui vient de la Mer
19, rue Duphot —— 260-63-40
Fermé le dimanche
16, av. Victor-Hugo - 726-02-54
Réouverture le jeudi 29 juillet

4

b. Multiple Choice (French) (8 points)

Part 3b consists of 4 questions in French, each based on a reading selection in French. Choose the best answer to each question. Base your choice on the content of the reading selection. Write the number of your answer in the space provided.

LARA

parfum
maroquinerie
produits beauté
bijouterie,
horlogerie
prêt-à-porter

ouvert du lundi au samedi de 9h30 à 18h30

24, av. Kleber 75116 PARIS

(2) 47 04 57 67

27 Pourquoi va-t-on souvent _____ à ce magasin?

1. Il est ouvert tous les jours de la semaine.
2. Tout ce qu'on vend est bon marché.
3. Il est près de l'entrée de la ville.
4. On offre une variété de choses à acheter.

ARCADE, c'est 6000 chambres en France et à l'étranger, toujours situées en centre ville, avec partout le même désir de vous offrir tout le nécessaire au moindre prix. Une formule que beaucoup jugent indispensable.

28 Quelle bonne raison y a-t-il _____ pour aller à ces hôtels?

1. Les chambres ne coûtent pas cher.
2. De chaque chambre on a une belle vue.
3. Les repas sont supérieurs.
4. Il n'y a pas de taxe.

La patience n'est pas votre qualité première. Essayez de vous adapter à toutes les situations et acceptez les critiques constructives. Avant de prendre une décision, pensez bien au résultat. Continuez à manger correctement. Vous avez une excellente occasion de promotion.

29 Qu'est-ce qu'on recommande à _____ cette personne?

1. De ne jamais hésiter.
2. De ne pas être inflexible.
3. D'accepter le premier travail qu'on lui offre.
4. De manger à la maison.

BLANCHET FRÈRES

Meubles pour toute la maison
Bois de la meilleure qualité
Catalogue gratuit
26, rue de Nevers
Tél. (01) 42 03 75 68

30 Dans ce magasin on peut acheter _____

1. des chaussures.
2. un violon excellent.
3. des chaises.
4. des bagages.

4. Writing

a. Notes (6 points)

Write 2 notes in French as directed below. Each note must consist of at least 12 words.

1. You are delighted with a book you are reading. Write a note in French telling why you are enjoying reading this book.

_____

_____

_____

_____

2. Write a note in French telling your teacher why you are anxious to visit France.

_____

_____

_____

_____

b. Lists (4 points)

Write 2 lists in French as directed below. Each list must contain 4 items. One-word items must not be proper names.

1. Your family is talking about the approaching summer vacation. In French, list 4 ways you suggest spending the vacation.

   _____

   _____

   _____

   _____

2. You are walking on the avenue and pass a number of buildings used for different purposes. In French, list 4 different buildings you see.

   _____

   _____

   _____

   _____

Appendix

Verb Summary Chart

REGULAR VERBS

INFINITIF	PRÉSENT	PASSÉ COMPOSÉ	IMPARFAIT	FUTUR
chanter	je chante	j'ai chanté	je chantais	je chanterai
	tu chantes	tu as chanté	tu chantais	tu chanteras
	il/elle chante	il/elle a chanté	il/elle chantait	il/elle chantera
	nous chantons	nous avons chanté	nous chantions	nous chanterons
	vous chantez	vous avez chanté	vous chantiez	vous chanterez
	ils/elles chantent	ils/elles ont chanté	ils/elles chantaient	ils elles chanteront
choisir	je choisis	j'ai choisi	je choisissais	je choisirai
	tu choisis	tu as choisi	tu choisissais	tu choisiras
	il/elle choisit	il/elle a choisi	il/elle choisissait	il/elle choisira
	nous choisissons	nous avons choisi	nous choisissions	nous choisirons
	vous choisissez	vous avez choisi	vous choisissiez	vous choisirez
	ils/elles choisissent	ils/elles ont choisi	ils/elles choisissaient	ils/elles choisiront
vendre	je vends	j'ai vendu	je vendais	je vendrai
	tu vends	tu as vendu	tu vendais	tu vendras
	il/elle vend	il/elle a vendu	il/elle vendait	il/elle vendra
	nous vendons	nous avons vendu	nous vendions	nous vendrons
	vous vendez	vous avez vendu	vous vendiez	vous vendrez
	ils/elles vendent	ils/elles ont vendu	ils/elles vendaient	ils/elles vendront

IRREGULAR VERBS

INFINITIF	PRÉSENT	PASSÉ COMPOSÉ	IMPARFAIT	FUTUR
aller	je vais tu vas il/elle va nous allons vous allez ils/elles vont	je suis allé(e) tu es allé(e) il est allé elle est allée nous sommes allé(e)s vous êtes allé(e)(s) ils sont allés elles sont allées	j'allais	j'irai
avoir	j'ai tu as il/elle a nous avons vous avez ils/elles ont	j'ai eu	j'avais	j'aurai
dire	je dis tu dis il/elle dit nous disons vous dites ils/elles disent	j'ai dit	je disais	je dirai
écrire	j'écris tu écris il/elle écrit nous écrivons vous écrivez ils/elles écrivent	j'ai écrit	j'écrivais	j'écrirai
être	je suis tu es il/elle est nous sommes vous êtes ils/elles sont	j'ai été	j'étais	je serai
faire	je fais tu fais il/elle fait nous faisons vous faites ils/elle font	j'ai fait	je faisais	je ferai

INFINITIF	PRÉSENT	PASSÉ COMPOSÉ	IMPARFAIT	FUTUR
lire	je lis tu lis il/elle lit nous lisons vous lisez ils/elles lisent	j'ai lu	je lisais	je lirai
mettre	je mets tu mets il/elle met nous mettons vous mettez ils/elles mettent	j'ai mis	je mettais	je mettrai
ouvrir	j'ouvre tu ouvres il/elle ouvre nous ouvrons vous ouvrez ils/elles ouvrent	j'ai ouvert	j'ouvrais	j'ouvrirai

Like **ouvrir: couvrir**

INFINITIF	PRÉSENT	PASSÉ COMPOSÉ	IMPARFAIT	FUTUR
partir	je pars tu pars il/elle part nous partons vous partez ils/elles partent	je suis parti(e)	je partais	je partirai
pouvoir	je peux tu peux il/elle peut nous pouvons vous pouvez ils/elles peuvent	j'ai pu	je pouvais	je pourrai
prendre	je prends tu prends il/elle prend nous prenons vous prenez ils/elles prennent	j'ai pris	je prenais	je prendrai

Like **prendre: apprendre, comprendre, surprendre**

INFINITIF	PRÉSENT	PASSÉ COMPOSÉ	IMPARFAIT	FUTUR
recevoir	je reçois tu reçois il/elle reçoit nous recevons vous recevez ils/elles reçoivent	j'ai reçu	je recevais	je recevrai
savoir	je sais tu sais il/elle sait nous savons vous savez ils/elles savent	j'ai su	je savais	je saurai
sortir	je sors tu sors il/elle sort nous sortons vous sortez ils/elles sortent	je suis sorti(e)	je sortais	je sortirai
venir	je viens tu viens il/elle vient nous venons vous venez ils viennent	je suis venu(e)	je venais	je viendrai

Like **venir: devenir, revenir**

INFINITIF	PRÉSENT	PASSÉ COMPOSÉ	IMPARFAIT	FUTUR
voir	je vois tu vois il/elle voit nous voyons vous voyez ils/elles voient	j'ai vu	je voyais	je verrai
vouloir	je veux tu veux il/elle veut nous voulons vous voulez ils/elles veulent	j'ai voulu	je voulais	je voudrai

Spelling changes in certain -er verbs

Infinitives ending in **-cer:**

commencer	je commence	j'ai commencé	je commençais	je commencerai
	tu commences		tu commençais	
	il/elle commence		il/elle commençait	
	nous commençons		nous commencions	
	vous commencez		vous commenciez	
	ils/elles commencent		ils/elles commençaient	

Other verbs ending in **-cer: effacer, prononcer**

Infinitives ending in **-ger:**

manger	je mange	j'ai mangé	je mangeais	je mangerai
	tu manges		tu mangeais	
	il/elle mange		il/elle mangeait	
	nous mangeons		nous mangions	
	vous mangez		vous mangiez	
	ils/elles mangent		ils/elles mangeaient	

Other verbs ending in **-ger: corriger, nager, voyager**

appeler	j'appelle	j'ai appelé	j'appelais	j'appellerai
	tu appelles			tu appelleras
	il/elle appelle			il/elle appellera
	nous appelons			nous appellerons
	vous appeler			vous appellerez
	ils/elles appellent			ils/elles appelleront

Cardinal Numbers

1	un, une	41	quarante et un
2	deux	42	quarante-deux, *etc.*
3	trois	50	cinquante
4	quatre	51	cinquante et un
5	cinq	52	cinquante-deux, *etc.*
6	six	60	soixante
7	sept	61	soixante et un
8	huit	62	soixante-deux, *etc.*
9	neuf	70	soixante-dix
10	dix	71	soixante et onze
11	onze	72	soixante-douze
12	douze	73	soixante-treize
13	treize	74	soixante-quatorze
14	quatorze	75	soixante-quinze
15	quinze	76	soixante-seize
16	seize	77	soixante-dix-sept
17	dix-sept	78	soixante-dix-huit
18	dix-huit	79	soixante-dix-neuf
19	dix-neuf	80	quatre-vingts
20	vingt	81	quatre-vingt-un
21	vingt et un	82	quatre-vingt-deux
22	vingt-deux	83	quatre-vingt-trois, *etc.*
23	vingt-trois	90	quatre-vingt-dix
24	vingt-quatre	91	quatre-vingt-onze
25	vingt-cinq	92	quatre-vingt-douze
26	vingt-six	93	quatre-vingt-treize, *etc.*
27	vingt-sept	100	cent
28	vingt-huit	101	cent un
29	vingt-neuf	200	deux cents
30	trente	201	deux cent un
31	trente et un	1 000	mille
32	trente-deux	1 001	mille un
33	trente-trois	2 000	deux mille
34	trente-quatre, *etc.*	1 000 000	un million
40	quarante	1 000 000 000	un milliard

Ordinal Numbers

1st	premier, première	9th	neuvième
2nd	deuxième / second, seconde	10th	dixième
3rd	troisième	11th	onzième
4th	quatrième	12th	douzième
5th	cinquième	15th	quinzième
6th	sixième	19th	dix-neuvième
7th	septième	20th	vingtième
8th	huitième	21st	vingt et unième
		30th	trentième
100th	centième		

Vocabulaire français-anglais

A

à to, at, in

abord: d'abord at first

accepter to accept

accompagner to accompany

acheter to buy

acteur *m.* actor

actif (*f.* **active**) active

actrice *f.* actress

addition *f.* check (*in restaurant*)

admirer to admire

adresse *f.* address

aéroport *m.* airport

affaires *m.pl.* business

Afrique *f.* Africa

âge *m.* age

agent (*m.*) **de police** policeman

aider to help

aimable kind

aimer to like; to love; **aimer mieux** to prefer

Allemagne *f.* Germany

allemand German

aller to go; to be (*of health*)

alors then

Alpes *f. pl.* Alps

alpinisme *m.* mountain climbing

ambiance *f.* atmosphere

aménagement *m.* remodeling

américain American

Amérique *f.* America

ami *m.* (*f.* **amie**) friend

amour *m.* love

amuser: s'amuser to enjoy oneself, have a good time

an *m.* year

anglais English

Angleterre *f.* England

animal *m.* (*pl.* **animaux**) animal

année *f.* year

anniversaire *m.* birthday

août *m.* August

appartement *m.* apartment

appeler to call; **s'appeler** to be called

appétit *m.* appetite

apporter to bring

apprendre to learn; **apprendre par cœur** to memorize

après after

après-midi *m.* afternoon

arbre *m.* tree

argent *m.* money

arriver to arrive

ascenseur *m.* elevator

Asie *f.* Asia

Asseyez-vous. Sit down.

assez enough

assiette *f.* plate

assis sitting, seated

attendre to wait (for)

attentif (*f.* **attentive**) attentive

attention: faire attention to pay attention

aujourd'hui today

aussi also, too; as

autant as much, as many

auteur *m.* author

autobus *m.* bus

automne *m.* autumn

autour de around

autre other

avant before

avec with

avenue *f.* avenue

avion *m.* airplane

avocat *m.* (*f.* **avocate**) lawyer

avoir to have
avril *m.* April

B

bagages *m.pl.* luggage
bain *m.* bath
barbe *f.* beard
bas (*f.* **basse**) low; **en bas** downstairs
bateau *m.* (*pl.* **bateaux**) boat
bâtiment *m.* building
bâtir to build
beau, bel (*f.* **belle**) beautiful, handsome; **faire beau** to be beautiful (*weather*)
beaucoup much, many, a great deal, a lot
bébé *m.* baby
Belgique *f.* Belgium
besoin *m.* need; **avoir besoin de** to need
beurre *m.* butter
bibliothèque *f.* library
bicyclette *f.* bicycle
bien well
bière *f.* beer
bijou *m.* (*pl.* **bijoux**) jewel
bijouterie *f.* jewelry
billet *m.* ticket
bientôt soon; **à bientôt** so long, see you soon
blanc (*f.* **blanche**) white
blé *m.* wheat
bleu blue
bois *m.* wood
boîte *f.* box
bon (*f.* **bonne**) good
bonbon *m.* piece of candy
bonheur *m.* happiness
bonjour good day, good morning, hello
bouche *f.* mouth
boucher *m.* butcher
boulanger *m.* baker
boulangerie *f.* bakery
bouteille *f.* bottle

bras *m.* arm
Bretagne *f.* Brittany
bruit *m.* noise
brun brown
Bruxelles Brussels
bureau *m.* desk; office; **bureaux sociaux** office space

C

cadeau *m.* (*pl.* **cadeaux**) present, gift
cadre *m.* setting
café *m.* coffee; café
cahier *m.* notebook
camarade *m. or f.* comrade, friend
campagne *f.* country(side)
carte *f.* card; map; menu
cartomancie fortune-telling
casser to break
cathédrale *f.* cathedral
cause: à cause de, because of
ce, cet, cette this, that
célèbre famous
cent hundred
ces these, those
chaise *f.* chair
chambre *f.* room, bedroom
chandelle *f.* candle
chanson *f.* song
chanter to sing
chapeau *m.* (*pl.* **chapeaux**) hat
chaque each
charmant charming
chat *m.* cat
château *m.* (*pl.* **châteaux**) castle
chaud warm, hot; **avoir chaud** to be hot; **faire chaud** to be hot (*weather*)
chaussure *f.* shoe
chemin *m.* road
chemise *f.* shirt
cher (*f.* **chère**) dear; expensive
chercher to look for

cheval *m.* (*pl.* **chevaux**) horse
cheveux *m.pl.* hair
chez at (to, in) the house (residence) of
chien *m.* dog
chocolat *m.* chocolate
choisir to choose
chose *f.* thing; **quelque chose** something
choucroute *f.* sauerkraut; **choucroute paysanne** sauerkraut country-style
ciel *m.* sky
cinéma *m.* movies
cinq five
cinquante fifty
cinquième fifth
citoyen *m.* (*f.* **citoyenne**) citizen
citron *m.* lemon
classe *f.* class
clef *f.* key
client (*f.* **cliente**) customer; patient
cloche *f.* bell
cochon *m.* pig
cœur *m.* heart
coin *m.* corner
combien how much? how many?
comme like, as
commencement *m.* beginning
commencer to begin
comment how
comprendre to understand
compter to count
concierge *m. or f.* (building) caretaker, superintendent
conseil *m.* advice, counsel
conserver to preserve
constamment constantly
content glad, pleased, happy
continuer to continue
contraire *m.* opposite; **au contraire** on the contrary
contre against
corps *m.* body

corriger to correct
côte *f.* coast
côté *m.* side; **de l'autre côté** on the other side
cou *m.* neck
(se) coucher to lie down, go to bed; to set (*sun*)
couleur *f.* color
couper to cut
course *f.* race
court short
cousin *m.* (*f.* **cousine**) cousin
couteau *m.* (*pl.* **couteaux**) knife
coûter to cost
coutume *f.* custom
couvrir to cover
craie *f.* chalk
cravate *f.* tie
crayon *m.* pencil; **au crayon** in pencil
créer to create
crème *f.* cream
cuiller *f.* spoon
cuisine *f.* kitchen; cooking

D

dame *f.* lady
dans in
danser to dance
de of, from
debout standing
décembre *m.* December
découvrir to discover
défendre to defend
déjà already
déjeuner *m.* lunch; **petit déjeuner** breakfast
délicieux (*f.* **délicieuse**) delicious
demain tomorrow; **à demain** see you tomorrow
demander to ask; to ask for
demeurer to live
demi half
demi-heure *f.* half hour

dent *f.* tooth
dentiste *m. or f.* dentist
(se) dépêcher to hurry
dernier (*f.* **dernière**) last
derrière behind
descendre to go (come) down; to get off
désirer to wish, want
deux two
deuxième second
devant in front of
devenir to become
devoirs *m.pl.* homework
dictionnaire *m.* dictionary
difficile difficult
dimanche *m.* Sunday
dîner *m.* dinner
directeur *m.* (*f.* **directrice**) principal
dire to say, tell
disque *m.* record(ing)
dix ten
dixième tenth
docteur *m.* doctor
doigt *m.* finger
domicile *m.* residence
donner to give
dos *m.* back
doux (*f.* **douce**) sweet, mild, gentle
douzaine *f.* dozen
douze twelve
drapeau *m.* (*pl.* **drapeaux**) flag
droit right; **à droite** on the right
durer to last

E

eau *f.* water
école *f.* school
écouter to listen (to)
écrire to write
écrivain *m.* writer
effacer to erase

église *f.* church
élève *m. or f.* pupil
employer to use
emprunter to borrow
en in; of it, of them; some, any
encore still, yet, again
encre *f.* ink
endroit *m.* place
enfant *m. or f.* child
enfin finally, at last
ennemi *m.* enemy
enseignement *m.* education, teaching
ensemble together
entendre to hear
entièrement entirely
entre between, among
entrer (dans) to go (come) in, enter
envoyer to send
erreur *f.* error
escalier *m.* staircase
Espagne *f.* Spain
espagnol Spanish
espèce *f.* kind
essayer to try, try on
essence *f.* gasoline
est *m.* east
étage *m.* story, floor
état *m.* state
États-Unis *m.pl.* United States
été *m.* summer
étoile *f.* star
étranger (*f.* **étrangère**) foreign
être to be; **être à** to belong to
étudiant (*f.* **étudiante**) student
étudier to study
Europe *f.* Europe
européen (*f.* **européenne**) European
eux *m.* them; they
événement *m.* event
examen *m.* examination
exemple *m.* example
expliquer to explain

F

face opposite
facile easy
facteur *m.* mailman
faible weak
faim *f.* hunger; **avoir faim** to be hungry
faire to do; to make
famille *f.* family
fatigué tired
faute *f.* mistake, error
fauteuil *m.* armchair
faux (*f.* **fausse***f.*) false
femme *f.* woman; wife
fenêtre *f.* window
ferme *f.* farm
fermer to close
fermier *m.* farmer
fête *f.* holiday, celebration
feu *m.* fire
feuille *f.* leaf
février *m.* February
fier (*f.* **fière**) proud
fille *f.* daughter; girl
fils *m.* son
fin *f.* end
finir to finish
fleur *f.* flower
fleuve *m.* river
fois *f.* time
football *m.* soccer
forêt *f.* forest
fort strong
fourchette *f.* fork
frais (*f.* **fraîche**) cool, fresh; **faire frais** to be cool (*weather*)
franc *m.* franc
français French
France *f.* France
frapper to knock, strike
fréquemment frequently
frère *m.* brother
froid cold; **avoir froid** to be cold; **faire froid** to be cold (*weather*)

fromage *m.* cheese
frontière *f.* border
fruits de mer *f.pl.*sea food
fumer to smoke

G

gagnant winning
gagner to win; to earn
gant *m.* glove
garçon *m.* boy; waiter
gare *f.* railroad station
gâteau *m.* cake
gauche left; **à gauche** on the left
gaz *m.* gas
général *m.* general
gentil (*f.* **gentille**) nice, kind
glace *f.* mirror; ice; ice cream
grand large, big, tall
grand-mère *f.* grandmother
grand-père *m.* grandfather
gratuit free, gratis
gris gray
gronder to scold
gros (*f.* **grosse**) big; fat
guérir to cure, heal
guerre *f.* war

H

(s')habiller to get dressed
habitant *m.* inhabitant
habiter to live (in)
haut high; **en haut** upstairs
herbe *f.* grass
héritage *m.* inheritance
heure *f.* hour; **à l'heure** on time; **de bonne heure** early
heureux (*f.* **heureuse**) happy
heureusement happily, fortunately
hier yesterday
histoire *f.* story; history
hiver *m.* winter
homme *m.* man
hôpital *m.* (*pl.* **hôpitaux**) hospital

horlogerie *f.*watches and clocks
hors-d'œuvre *m.* appetizer
hôtel *m.* hotel
huit eight
huitième eighth

I

ici here
il y a there is, there are; ago
île *f.* island
image *f.* picture
immédiatement immediately
immeuble *m.* apartment house
immobilier real-estate
informatique data-processing
intéressant interesting
intérêt *m.* interest
inutile useless
invité *m.* guest
inviter to invite
Italie *f.* Italy
italien (*f.* **italienne**) Italian

J

jambe *f.* leg
jamais: ne . . . jamais never
janvier *m.* January
Japon *m.* Japan
jardin *m.* garden
jaune yellow
jeudi *m.* Thursday
jeune young; **jeune fille** *f.* girl
joaillerie *f.* jewelry store
joli pretty
jouer to play
jour *m.* day
journal (*pl.* **journaux**) newspaper
juger to judge
juillet *m.* July
juin *m.* June
juridique legal, judicial
jus *m.* juice
jusqu'à up to, until, as far as

K

kilo(gramme) *m.* kilogram
kilomètre *m.* kilometer

L

là there
lac *m.* lake
laine *f.* wool
laisser to leave
lait *m.* milk
lampe *f.* lamp
langue *f.* tongue; language
large wide
laver to wash; **se laver** to wash oneself
leçon *f.* lesson
lecture *f.* reading
léger (*f.* **légère**) light
légume *m.* vegetable
lent slow
lentement slowly
lettre *f.* letter
leur their; to them
lever to lift; **se lever** to get up
liberté *f.* liberty
lire to read
lit *m.* bed
litre *m.* liter
livre *m.* book
livre *f.* pound
locaux sociaux *m.pl.* recreational/social space
loi *f.* law
loin far
Londres London
long (*f.* **longue**) long
longtemps a long time
lourd heavy
lui to him, to her
lumière *f.* light
lundi *m.* Monday
lune *f.* moon
lunettes *f.pl.* eyeglasses

M

ma my
machine (*f.*) **à écrire** typewriter
machine (*f.*) **à laver** washing machine
madame *f.* Mrs., madam
mademoiselle *f.* Miss
magasin *m.* store
mai *m.* May
main *f.* hand
maintenant now
maire *m.* mayor
mais but
maison *f.* house
mal: avoir mal to have an ache
malade sick
maladie *f.* sickness, illness
malgré in spite of
malheureux (*f.* **malheureuse**) unhappy
Manche *f.* English Channel
manger to eat
marché *m.* market; **bon marché** cheap
marcher to walk
mardi *m.* Tuesday
mari *m.* husband
maroquinerie *f.* leather goods
mars *m.* March
matin *m.* morning
mauvais bad; **faire mauvais** to be bad (*weather*)
médecin *m.* doctor
meilleur better
même same
mémoire *f.* memory
mer *f.* sea
merci thank you, thanks
mercredi *m.* Wednesday
mère *f.* mother
mes my
métal *m.* (*pl.* **métaux**) metal
mètre *m.* meter
métro *m.* subway
mettre to put; to put on

meuble *m.* piece of furniture
Mexique *m.* Mexico
midi *m.* noon
mieux better
milieu *m.* middle; **au milieu de** in the middle of
mille thousand
minuit midnight
moderne modern
moindre least
moins less; fewer; **au moins** at least
mois *m.* month
mon my
monde *m.* world; **tout le monde** everybody
monsieur *m.* (*pl.* **messieurs**) Mr., sir; gentleman
montagne *f.* mountain
montre *f.* watch
montrer to show
morceau *m.* piece
mort *f.* death
mot *m.* word
mouchoir *m.* handkerchief
mourir to die
mouton *m.* sheep
mur *m.* wall
musée *m.* museum
musique *f.* music

N

nager to swim
naître to be born
nécessaire necessary
neige *f.* snow
neiger to snow
neuf nine
neuf (*f.* **neuve**) new
neuvième ninth
neveu *m.* nephew
nez *m.* nose
ni ... ni neither ... nor
nièce *f.* niece
Noël Christmas
noir black

nom *m.* name
nombreux (*f.* **nombreuse**) numerous
nord *m.* north
Normandie *f.* Normandy
note *f.* mark
notre, nos our
nouveau, nouvel (*f.* **nouvelle**) new
novembre *m.* November
nuit *f.* night
numéroté numbered

O

obéir (à) to obey
obligatoire obligatory, required
océan *m.* ocean
octobre *m.* October
œil *m.* (*pl.* **yeux**) eye
œuf *m.* egg
œuvre *m.* work
oiseau *m.* (*pl* **oiseaux**) bird
on we, you, they, people
oncle *m.* uncle
O.N.U. (Organisation des Nations unies) U.N.
onze eleven
onzième eleventh
or *m.* gold
oreille *f.* ear
ou or
où where
oublier to forget
ouest *m.* west
ouvert open
ouvrir to open

P

pain *m.* bread
paix *f.* peace
palais *m.* palace
papier *m.* paper
Pâques Easter
paquet *m.* package
parapluie *m.* umbrella

parc *m.* park
parce que because
paresseux (*f.* **paresseuse**) lazy
parfum *m.* perfume
parisien (*f.* **parisienne**) Parisian
parler to speak, talk
partie *f.* part
partir to leave, go away
partout everywhere
passer to pass, spend (*time*)
patiner to skate
pâtisseries *f.pl.* baked goods
pauvre poor
pays *m.* country
paysage *m.* landscape
pêche *f.* peach
peintre *m.* painter
pendant during; **pendant que** while
pendule *f.* clock
penser to think
perdre to lose
père *m.* father
personne *f.* person
personne ... ne no one, nobody
petit small, little; **petit déjeuner** *m.* breakfast
peu little, few; **un peu** a little
peuple *m.* people, nation
peur *f.* fear; **avoir peur** to be afraid
peut-être perhaps, maybe
phrase *f.* sentence
pièce *f.* room
pied *m.* foot
pierre *f.* stone
place *f.* (public) square
plafond *m.* ceiling
plage *f.* beach
plaisir *m.* pleasure
plancher *m.* floor
plat *m.* dish
plateau *m.* (*pl.* **plateaux**) platter
plein full
pleurer to cry

pleut: il pleut it's raining
pluie *f.* rain
plus more; **ne ... plus** no longer, no more
plusieurs several
poche *f.* pocket
poisson *m.* fish
poli polite
pomme *f.* apple; **pomme de terre** *f.* potato
pont *m.* bridge; deck
porte *f.* door
porter to carry; to wear
poser une question to ask a question
poste *f.* post office
poulet *m.* chicken
pour for; in order to
pourboire *m.* tip
pourquoi why
pouvoir to be able
premier (*f.* **première**) first; **premier ministre** *m.* prime minister
prendre to take
préparer to prepare
près de near
presque almost
prêt ready
prêter to lend
printemps *m.* spring
prix *m.* price; prize
prochain next
produit *m.* product
professeur *m.* teacher
promenade *f.* walk
prononcer to pronounce
propre clean
prune *f.* plum
puis then
puissant powerful
pull *m.* sweater, pullover
punir to punish

Q

quand when
quarante forty

quart *m.* quarter

quartier *m.* neighborhood, district

quatorze fourteen

quatre four

quatre-vingts eighty

quatrième fourth

que that, which, whom, what, than, as

quel, quelle what, which; **quel!, quelle!** what a!

quelque some, any; **quelques** (*pl.*) some, a few; **quelque chose** something

quelquefois sometimes

quelqu'un someone

qui who, whom, that, which

quinze fifteen

quitter to leave (*persons and places*)

R

raison *f.* reason; **avoir raison** to be right

raconter to tell, relate

rapidement rapidly, quickly

réciter to recite

réfrigérateur *m.* refrigerator

refuser to refuse

regarder to look (at)

règle *f.* ruler

reine *f.* queen

remplir to fill

rencontrer to meet

rendez-vous *m.* appointment

rendre to return, give back

renover to renovate

rentrer to go in again, return (*home*)

repas *m.* meal

répondre (à) to answer

réponse *f.* answer

rester to remain, stay

retard: en retard late

retourner to return, go back

retrouver to find again

réussir to succeed

revenir to come back, return

(se) réveiller to wake up

revoir: au revoir good-bye

Rhin *m.* Rhine

riche rich

rideau *m.* (*pl.* **rideaux**) curtain

rien: ne … rien nothing

rive *f.* bank (*of a river*)

rivière *f.* stream, river

robe *f.* dress

roi *m.* king

romain Roman

roman *m.* novel

rond-point *m.* traffic circle

rouge red

route *f.* road

rue *f.* street

russe Russian

Russie *f.* Russia

S

sa his, her, its

sable *m.* sand

sac *m.* bag

saison *f.* season

sale dirty

salle *f.* room; **salle à manger** dining room; **salle de bains** bathroom; **salle de classe** classroom; **salle de séjour** living room

samedi *m.* Saturday

sans without

santé *f.* health

savoir to know, know how

savon *m.* soap

sec (*f.* **sèche**) dry

seconde *f.* second

seize sixteen

sel *m.* salt

semaine *f.* week

sept seven

septembre *m.* September

ses his, her, its

seul alone

seulement only

serviette *f.* towel; napkin

si if; so

siècle *m.* century

s'il vous (te) plaît please

six six

sixième sixth

sœur *f.* sister

soie *f.* silk

soif thirst; **avoir soif** to be thirsty

soir *m.* evening; **ce soir** this evening, tonight

soixante sixty

solaire solar

soldat *m.* soldier

soleil *m.* sun; **faire du soleil** to be sunny (*weather*)

sommeil *m.* sleep; **avoir sommeil** to be sleepy

son his, her, its

sonner to ring

sortir to go out, leave

soupe *f.* soup

sous under

souvent often

stylo *m.* pen

sucre *m.* sugar

sud *m.* south

Suisse *f.* Switzerland

suivre to follow

supermarché *m.* supermarket

sur on

sûr sure; **bien sûr** of course, certainly

surmonter to overcome

surprendre to surprise

surtout above all, especially

T

ta your

tableau *m.* (*pl.* **tableaux**) picture; (chalk)board

tante *f.* aunt

tapis *m.* rug

tard late

tasse *f.* cup

temps *m.* time; weather
terminer to finish
terre *f.* land, earth
tes your
tête *f.* head
thé *m.* tea
théâtre *m.* theater
timbre *m.* stamp
tiroir *m.* drawer
toi you
toit *m.* roof
tomate *f.* tomato
tomber to fall
ton your
tort: avoir tort to be wrong
tourner to turn
tout all, whole, every; everything; **pas du tout** not at all; **tout à coup** suddenly; **tout de suite** immediately; **tout le monde** everybody
traduire to translate
travail *m.* work
travailler to work
traverser to cross
treize thirteen
trente thirty
très very
triste sad
trois three

troisième third
trop too much, too many
trottoir *m.* sidewalk
trouver to find

U

utile useful

V

vacances *f.pl.* vacation; **grandes vacances** summer vacation
vache *f.* cow
vendre to sell
vendredi *m.* Friday
venir to come
vent *m.* wind; **faire du vent** to be windy (*weather*)
vente *f.* sale
vérité *f.* truth
verre *m.* glass
vers toward
vert green
vêtement *m.* article of clothing; **vêtements** clothes, clothing
viande *f.* meat
vide empty
vie *f.* life
vieux, vieil (*f.* **vieille**) old

ville *f.* *city;* **en ville** downtown, in town
vin *m.* wine
vingt twenty
violon *m.* violin
visage *m.* face
vite quickly
vivre to live
vocabulaire *m.* vocabulary
voici here is, here are
voilà there is, there are
voir to see
voisin (*f.* **voisine**) neighbor
voiture *f.* car
voix *f* voice; **à haute voix** aloud
voler to steal; to fly
voleur *m.* thief
votre, vos your
vouloir to wish; to want; **vouloir dire** to mean
voyage *m.* trip, journey
voyager to travel
vrai true
vraiment truly, really

Y

y there; to it, to them
yeux (singular **œil**) *m.pl.* eyes

Vocabulaire anglais-français

A

able: be able pouvoir
about (*with time*) vers
absent absent
accept accepter
ache: have an ache avoir mal (à)
active actif (*f.* active)
actor acteur *m.*
actress actrice *f.*
afraid: be afraid avoir peur
Africa Afrique *f.*
after après
afternoon après-midi *m.*
again encore
against contre
ago il y a
airplane avion *m.*
all tout, toute, tous, toutes
almost presque
alone seul
aloud à haute voix
Alps Alpes *f.pl.*
already déjà
also aussi
always toujours
America Amérique *f.*

American américain
among entre
animal animal *m.* (*pl.* animaux)
answer répondre (à); réponse *f.*
apartment appartement *m.*
apartment house immeuble *m.*
appetizer hors-d'œuvre *m.*
apple pomme *f.*
appointment rendez-vous *m.*
April avril *m.*
arm bras *m.*
armchair fauteuil *m.*
around autour de
arrive arriver
as ... as aussi ... que
Asia Asie *f.*
as much, as many autant
ask, ask for demander
attention: pay attention faire attention
attentive attentif (*f.* attentive)
August août *m.*
aunt tante *f.*
autumn automne *m.*
avenue avenue *f.*

B

back dos *m.*
bad mauvais; **be bad** (*weather*) faire mauvais
badly mal
bag sac *m.*
baker boulanger *m.*
ball balle *f.*
banana banane *f.*
bath bain *m.*
bathroom salle (*f.*) de bains
be être
beach plage *f.*
beautiful beau, bel (*f.* belle)
because parce que; **because of** à cause de
become devenir
bed lit *m.*; **go to bed** se coucher
bedroom chambre *f.*
beer bière *f.*
before avant
begin commencer
beginning commencement *m.*
behind derrière
Belgium Belgique *f.*
bell cloche *f.*
belong to être à

best le meilleur (*adj.*); le
  mieux (*adv.*)
better meilleur (*adj.*); mieux
  (*adv.*)
between entre
bicycle bicyclette *f.*
big grand; gros, grosse
bird oiseau *m.* (*pl.* oiseaux)
birthday anniversaire *m.*
black noir
blue bleu
board (*in classroom*) tableau
  m. (*pl.* tableaux)
boat bateau *m.* (*pl.* bateaux)
body corps *m.*
book livre *m.*
born: be born naître
borrow emprunter
bottle bouteille *f.*
box boîte *f.*
boy garçon *m.*
brave brave
bread pain *m.*
break casser
breakfast petit déjeuner *m.*
bridge pont *m.*
bring apporter
Brittany Bretagne *f.*
brother frère *m.*
brown brun
build bâtir
building bâtiment *m.*
bus autobus *m.*
but mais
butcher boucher *m.*
butter beurre *m.*
buy acheter

C

cake gâteau *m.*
call appeler; **be
  called** s'appeler
Canada Canada *m.*
**candy: piece of
  candy** bonbon *m.*
car voiture *m.*

card carte *f.*
carry porter
castle château *m.* (*pl.*
  châteaux)
cat chat *m.*
cathedral cathédrale *f.*
ceiling plafond *m.*
certainly certainement, bien
  sûr
chair chaise *f.*
chalk craie *f.*
charming charmant
cheap bon marché
check (*in restaurant*) addition
  f.
cheese fromage *m.*
chicken poulet *m.*
child enfant *m. or f.*
China Chine *f.*
chocolate chocolat *m.*
choose choisir
Christmas Noël
church église *f.*
city ville *f.*
class classe *f.*
classroom salle (*f.*) de classe
clean propre
clock pendule *f.*
close fermer
clothes vêtements *m.pl.*
**clothing: article of
  clothing** vêtement *m.*
coffee café *m.*
cold froid; **to be cold** avoir
  froid; **to be cold** (*weather*)
  faire froid
color couleur *f.*
come venir; **come
  back** revenir; **come
  down** descendre; **come
  in** entrer; **come
  up** monter
comrade camarade *m. or f.*
contrary: on the contrary au
  contraire
cool frais (*f.* fraîche); **be cool**
  (*weather*) faire frais

corner coin *m.*
correct corriger
cost coûter
count compter
country pays *m.*; campagne *f.*
course: of course certainement, bien sûr
cousin cousin *m.*, cousine *f.*
cover couvrir
cow vache *f.*
cream crème *f.*
cross traverser
cry pleurer
cup tasse *f.*
cure guérir
curtain rideau *m.* (*pl.*
  rideaux)
customer client *m.* (*f.*
  cliente)
cut couper

D

dance danser
date date *f.*
daughter fille *f.*
day jour *m.*
death mort *f.*
dear cher (*f.* chère)
December décembre *m.*
defend défendre
delicious délicieux (*f.*
  délicieuse)
dentist dentiste *m. or f.*
desk bureau *m.*
dictionary dictionnaire *m.*
die mourir
difficult difficile
dining room salle (*f.*) à
  manger
dinner dîner *m.*
dirty sale
do faire
doctor médecin *m.*
dog chien *m.*
dollar dollar *m.*
door porte *f.*

downstairs en bas
downtown en ville
dozen douzaine *f.*
drawer tiroir *m.*
dress robe *f.*
**dress oneself, get
dressed** s'habiller
dry sec (*f.* sèche)
during pendant

E

each chaque
ear oreille *f.*
early de bonne heure
earn gagner
earth terre *f.*
easily facilement
east est *m.*
Easter Pâques
easy facile
eat manger
egg œuf *m.*
eight huit
eighteen dix-huit
eighth huitième
eighty quatre-vingts
elevator ascenseur *m.*
eleven onze
eleventh onzième
empty vide
end fin *f.*
enemy ennemi *m.*
England Angleterre *f.*
English anglais
English Channel Manche *f.*
enjoy oneself s'amuser
enough assez
enter entrer (dans)
erase effacer
especially surtout
Europe Europe *f.*
European européen (*f.*
européenne)
evening soir *m.*
every tous, toutes

everybody, everyone tout le
monde *m.*
everything tout *m.*
everywhere partout
examination examen *m.*
exercise exercice *m.*
expensive cher (*f.* chère)
explain expliquer
eye œil *m.* (*pl.* yeux)
eyeglasses lunettes *f.pl.*

F

face visage *m.*
fall tomber
false faux (*f.* fausse)
family famille *f.*
family room salle de séjour *f.*
famous célèbre
far loin
farm ferme *f.*
farmer fermier *m.*
fat gros (*f.* grosse)
father père *m.*
February février *m.*
feel (*of health*) aller
few peu (de)
fewer moins (de)
fifteen quinze
fifth cinquième
fifty cinquante
fill remplir
finally enfin
find trouver
finger doigt *m.*
finish finir, terminer
fire feu *m.*
first premier (*f.* première); **at
first** d'abord
fish poisson *m.*
five cinq
flag drapeau *m.* (*pl.*
drapeaux)
floor plancher *m.*; étage *m.*
flower fleur *f.*
fly voler

foot pied *m.*
for pour
foreign étranger (*f.*
étrangère)
forget oublier
fork fourchette *f.*
fortunately heureusement
forty quarante
four quatre
fourteen quatorze
fourth quatrième
franc franc *m.*
France France *f.*
French français
fresh frais (*f.* fraîche)
Friday vendredi *m.*
friend ami *m.* (*f.* amie)
from de
front: in front of devant
fruit fruit *m.*
full plein
furniture meubles *m.pl.*;
piece of furniture meuble
m.

G

garden jardin *m.*
gasoline essence *f.*
general général *m.* (*pl.*
généraux)
gentle doux (*f.* douce)
gentleman monsieur *m.* (*pl.*
messieurs)
gently doucement
German allemand
Germany Allemagne *f.*
get dressed s'habiller
get up se lever
get washed se laver
gift cadeau *m.* (*pl.* cadeaux)
girl jeune fille *f.*
give donner; **give
back** rendre
glad content
glass verre *m.*
glove gant *m.*

go   aller; **go away**   partir; **go
  back**   retourner; **go to
  bed**   se coucher; **go
  down**   descendre; **go
  in**   entrer (dans); **go in
  again**   rentrer; **go
  out**   sortir; **go up**   monter
gold   or *m.*
good   bon (*f.* bonne)
good-bye   au revoir
grandfather   grand-père *m.*
grandmother   grand-mère *f.*
grass   herbe *f.*
gray   gris
green   vert
guitar   guitare *f.*

H

hair   cheveux *m.pl.*
half   demi
half-hour   demi-heure *f.*
hand   main *f.;* **in one's
  hand**   à la main
handkerchief   mouchoir *m.*
handsome   beau, bel (*f.* belle)
happy   heureux (*f.* heureuse)
hard   difficile
hat   chapeau *m.* (*pl.*
  chapeaux)
have   avoir
head   tête *f.*
heal   guérir
health   santé *f.*
hear   entendre
heart   cœur *m.*
heavy   lourd
hello   bonjour
help   aider
here   ici; **here is, here
  are**   voici
high   haut
his   son, sa, ses
holiday   fête *f.*
home   maison *f.*
homework   devoirs *m.pl.*
horse   cheval *m.* (*pl.* chevaux)

hospital   hôpital *m.* (*pl.*
  hôpitaux)
hot   chaud
hotel   hôtel *m.*
hour   heure *f.*
house   maison f.
how   comment
how...!   que...!
how much, how many
  combien
hundred   cent
hungry: be hungry   avoir faim
hurry   se dépêcher
husband   mari *m.*

I

ice   glace *f.*
ice cream   glace *f.*
if   si
immediately   immédiatement,
  tout de suite
in   dans; en
in order to   pour
inhabitant   habitant *m.*
ink   encre *f.*
intelligent   intelligent
interesting   intéressant
invite   inviter
island   île *f.*
Italian   italien (*f.* italienne)
Italy   Italie *f.*

J

January   janvier *m.*
Japan   Japon *m.*
jewel   bijou *m.* (*pl.* bijoux)
juice   jus *m.*
July   juillet *m.*
June   juin *m.*

K

key   clef *f.*
kilogram   kilo(gramme) *m.*
kilometer   kilomètre *m.*

kind   aimable; gentil (*f.*
  gentille)
king   roi *m.*
kitchen   cuisine *f.*
knife   couteau *m.* (*pl.*
  couteaux)
knock   frapper
know, know how   savoir

L

lady   dame *f.*
lake   lac *m.*
lamp   lampe *f.*
land   terre *f.*
language   langue *f.*
last   dernier (*f.* dernière)
last   durer
late   tard; en retard
lawyer   avocat *m.*, avocate *f.*
lazy   paresseux (*f.*
  paresseuse)
leaf   feuille *f.*
learn   apprendre
least   le moins; **at least**   au
  moins
leave (*go out*)   sortir; (*go
  away*)   partir; (*things*)
  laisser; (*persons and
  places*)   quitter
left   gauche; **on the left**   à
  gauche
leg   jambe *f.*
lemon   citron *m.*
lend   prêter
less   moins
lesson   leçon *f.*
letter   lettre *f.*
library   bibliothèque *f.*
lie down   se coucher
life   vie *f.*
lift   lever
light   lumière *f.*
light   léger (*f.* légère)
like   aimer
like   comme
listen (**to**)   écouter
liter   litre *m.*

little petit; peu; **a little** un peu

live (*be alive*) vivre; (*dwell*) demeurer, habiter

living room salle (*f.*) de séjour

long long (*f.* longue); **a long time** longtemps

look at regarder; **look for** chercher

lose perdre

love aimer; amour *m.*

low bas (*f.* basse)

lunch déjeuner *m.*

M

mailman facteur *m.*

make faire

man homme *m.*

many beaucoup (de)

map carte *f.*

March mars *m.*

mark note *f.*

market marché *m.*

May mai *m.*

maybe peut-être

mayor maire *m.*

meal repas *m.*

mean vouloir dire

meat viande *f.*

meet rencontrer

memorize apprendre par cœur

menu carte *f.*

metal métal *m.* (*pl.* métaux)

meter mètre *m.*

Mexico Mexique *m.*

middle milieu *m.* **in the middle of** au milieu de

midnight minuit *m.*

mild doux (*f.* douce)

milk lait *m.*

million million *m.*

minute minute *f.*

mirror glace *f.*

Miss mademoiselle, Mlle

mistake faute *f.*

modern moderne

Monday lundi *m.*

money argent *m.*

month mois *m.*

moon lune *f.*

more plus

morning matin *m.*

(the) most le plus

mother mère *f.*

mountain montagne *f.*

mouth bouche *f.*

movies cinéma *m.*

Mr. monsieur, M.

Mrs. madame, Mme

much beaucoup (de)

museum musée *m.*

music musique *f.*

my mon, ma, mes

N

name nom *m.*

napkin serviette *f.*

near près de

necessary nécessaire

neck cou *m.*

need avoir besoin (de)

neighbor voisin *m.* (*f.* voisine)

nephew neveu *m.*

never ne … jamais

new nouveau, nouvel (*f.* nouvelle)

newspaper journal *m.* (*pl.* journaux)

next prochain

nice gentil (*f.* gentille)

niece nièce *f.*

night nuit *f.*

nine neuf

nineteen dix-neuf

ninety quatre-vingt-dix

ninth neuvième

no longer ne…plus

no one, nobody ne … personne; personne

noise bruit *m.*

noon midi *m.*

north nord *m.*

nose nez *m.*

not ne … pas; **not at all** pas du tout; **not … ever** jamais

notebook cahier *m.*

nothing ne…rien; rien

novel roman *m.*

November novembre *m.*

now maintenant

O

obey obéir (à)

ocean océan *m.*

October octobre *m.*

office bureau *m.*

often souvent

old vieux, vieil (*f.* vieille)

on (top of) sur

once une fois; **at once** tout de suite

only seulement

open ouvrir

opera opéra *m.*

opposite contraire *m.*

or ou

orange orange *f.*

other autre

our notre, nos

P

package paquet *m.*

page page *f.*; **on page** à la page

painter peintre *m.*

palace palais *m.*

paper papier *m.*

Parisian parisien (*f.* parisienne)

park parc *m.*

part partie *f.*

pass passer

patient malade *m. or f.*; client *m.* (*f.* cliente)

peace paix *f.*

peach pêche *f.*

pen stylo *m.*

pencil crayon *m.*; **in pencil** au crayon

people on

perfume parfum *m.*

perhaps peut-être

person personne *f.*

piano piano *m.*

picture image *f.;* tableau *m.* (*pl.* tableaux)

piece morceau *m.*

pig cochon *m.*

plane avion *m.*

plate assiette *f.*

play jouer

please s'il vous (te) plaît

pleasure plaisir *m.*

plum prune *f.*

pocket poche *f.*

policeman agent *m.*

polite poli

politely poliment

poor pauvre

post office poste *f.*

postman facteur *m.*

potato pomme (*f.*) de terre

pound livre *f.*

prefer aimer mieux

present cadeau *m.* (*pl.* cadeaux)

pretty joli

price prix *m.*

prize prix *m.*

probably probablement

pronounce prononcer

proud fier (*f.* fière)

punish punir

pupil élève *m. or f.*

put, put on mettre

Q

quarter quart *m.*

queen reine *f.*

question question *f.;* **to ask a question** poser une question

quickly vite, rapidement

R

railroad station gare *f.*

rain pluie *f.;* **it is raining** il pleut

raise lever

rapidly rapidement, vite

read lire

reading lecture *f.*

ready prêt

really vraiment

recite réciter

red rouge

refuse refuser

refrigerator réfrigérateur *m.*

relate raconter

remain rester

restaurant restaurant *m.*

return (*give back*) rendre; (*come back*) revenir; (*go back*) retourner, (*come, go back in*) rentrer; **return home** rentrer

Rhine Rhin *m.*

rich riche

right droite *f.;* **on the right** à droite; **to be right** avoir raison

ring sonner

rise se lever

river fleuve *m.;* rivière *f.*

road chemin *m.*, route *f.*

roof toit *m.*

room pièce *f.;* salle *f.;* chambre *f.*

rug tapis *m.*

ruler règle *f.*

Russia Russie *f.*

Russian russe

S

sad triste

salt sel *m.*

Saturday samedi *m.*

say dire

school école *f.*

scold gronder

sea mer *f.*

season saison *f.*

seated assis (*f.* assise)

second seconde *f.;* deuxième

see voir

sell vendre

sentence phrase *f.*

September septembre *m.*

set (*of sun*) se coucher

seven sept

seventeen dix-sept

seventh septième

seventy soixante-dix

several plusieurs

shirt chemise *f.*

shoe chaussure *f.*

short court

show montrer

sick malade

sickness maladie *f.*

side côté *m.;* **on the other side of** de l'autre côté de

sidewalk trottoir *m.*

silk soie *f.*

sing chanter

sir monsieur

sister sœur *f.*

sit down asseyez-vous

sitting assis (*f.* assise)

six six

sixteen seize

sixth sixième

sixty soixante

skate patiner

sky ciel *m.*

sleepy: be sleepy avoir sommeil

slow lent

slowly lentement

small petit

smoke fumer

snow neiger; neige *f.*

so much, so many tant

soldier soldat *m.*

someone quelqu'un

something quelque chose

sometimes quelquefois

son fils *m.*

song chanson *f.*

soon bientôt

soup   soupe *f.*
south   sud *m.*
Spain   Espagne *f.*
Spanish   espagnol
speak   parler
spend (*time*)   passer
spite: in spite of   malgré
spoon   cuiller *f.*
spring   printemps *m.*
staircase   escalier *m.*
stamp   timbre *m.*
standing   debout
star   étoile *f.*
state   état *m.*
stay   rester
steal   voler
still   encore
stone   pierre *f.*
store   magasin *m.*
story   histoire *f.; étage m.*
stream   rivière *f.*
street   rue *f.*
strike   frapper
strong   fort
student   étudiant *m.* (*f.*
   étudiante)
study   étudier
subway   métro *m.*
succeed   réussir
suddenly   tout à coup
sugar   sucre *m.*
summer   été *m.*
sun   soleil *m.*
Sunday   dimanche *m.*
supermarket   supermarché *m.*
sure   sûr
surprise   surprendre
sweater   pull *m.*
sweet   doux (*f.* douce)
swim   nager
Switzerland   Suisse *f.*

T

table   table *f.*
take   prendre
talk   parler
tall   grand

tea   thé *m.*
teacher   professeur *m.*
telephone   téléphone *m.;*
   téléphoner
television   télévision *f.*
tell   dire
ten   dix
tenth   dixième
thank you, thanks   merci
that   ce, cet, cette
theater   théâtre *m.*
then   alors
there   là; y; there is, there are
   il y a
these   ces
thing   chose *f.*
think   penser; think of
   penser à
third   troisième
thirsty: be thirsty   avoir soif
thirteen   treize
thirteenth   treizième
thirty   trente
this   ce, cet, cette
those   ces
thousand   mille
three   trois
Thursday   jeudi *m.*
ticket   billet *m.*
tie   cravate *f.*
time   temps *m.;* fois *f.;* heure
   f.; on time   à l'heure; have a
   good time   s'amuser
tip   pourboire *m.*
tired   fatigué
today   aujourd'hui
together   ensemble
tomato   tomate *f.*
tomorrow   demain
tonight   ce soir
too   aussi; trop; too much, too
   many   trop (de)
tooth   dent *f.*
towel   serviette *f.*
translate   traduire
travel   voyager
tree   arbre *m.*

trip   voyage *m.;* take a trip
   faire un voyage
true   vrai
truly   vraiment
truth   vérité *f.*
try, try on   essayer
Tuesday   mardi *m.*
turn   tourner
twelfth   douzième
twelve   douze
twenty   vingt
two   deux
typewriter   machine (*f.*) à écrire

U

umbrella   parapluie *m.*
uncle   oncle *m.*
under   sous
understand   comprendre
unhappy   malheureux (*f.*
   malheureuse)
United States   États-Unis *m.pl.*
until (up to)   jusqu'à
upstairs   en haut
useful   utile
useless   inutile

V

vacation   vacances *f.pl.;* summer vacation   grandes
   vacances
vegetable   légume *m.*
very   très
visit   visiter
vocabulary   vocabulaire *m.*
violin   violon *m.*
voice   voix *f.*

W

wait, wait for   attendre
waiter   garçon *m.*
wake up   se réveiller
walk   marcher; promenade *f.;*
   take a walk   faire une promenade

wall mur *m.*
want désirer, vouloir
war guerre *f.*
warm chaud; **be warm** avoir chaud; **be warm** (*weather*) faire chaud
wash laver; **get washed** se laver
washing machine machine (*f.*) à laver
watch montre *f.*
water eau *f.*
weak faible
wear porter
weather temps *m.*
Wednesday mercredi *m.*
week semaine *f.*
welcome: you're welcome il n'y a pas de quoi; de rien

well bien
west ouest *m.*
what a! quel, quelle!
when quand
which? quel, quelle?
while pendant que
white blanc (*f.* blanche)
who qui
whole tout
wide large
wife femme *f.*
win gagner
wind vent *m.;* **be windy** faire du vent
window fenêtre *f.*
wine vin *m.*
winter hiver *m.*
wish vouloir, désirer
with avec

without sans
woman femme *f.*
wood bois *m.*
wool laine *f.*
word mot *m.*
work travail *m.;* travailler
world monde *m.*
write écrire
writer écrivain *m.*
wrong: be wrong avoir tort

Y

year an *m.,* année *f.*
yellow jaune
yesterday hier
yet encore
young jeune
your ton, ta, tes; votre, vos

Index